7세 자녀들의 덧셈·뺄[...] 초능력 쌤입니다.

초능력 쌤의 덧셈·뺄셈 개념 활동 동영상 강의

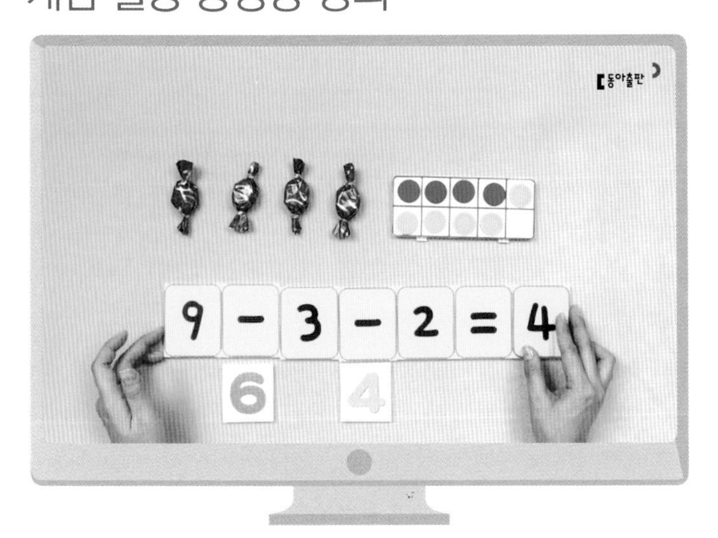

선생님. 우리 아이에게 덧셈과 뺄셈을 열심히 설명해 주는데, 아이가 전혀 이해를 못해요.

걱정하지 마세요. 지금부터 초능력 쌤인 제가 7세 자녀들의 눈높이에 맞춰 덧셈과 뺄셈 원리를 재미있게 설명해 줄 거예요.

우리 아이가 동영상 강의에 집중하지 못하면 어떡하죠?

7세 자녀들이 흥미를 가질 수 있도록 교구나 활동 자료로 원리를 설명하니 걱정하지 마세요. 그리고 7세 자녀들이 집중할 수 있는 시간에 맞게 짧고 쉽게 설명하고 있어요.

초능력 쌤~ 정말 감사합니다! 이제 우리 아이도 덧셈과 뺄셈을 잘 할 거 같아요. ^^

7세 초능력 덧셈·뺄셈 무료 스마트러닝 접속 방법

방법 1

동아출판 홈페이지 **www.bookdonga.com**에 접속하면 7세 초능력 덧셈·뺄셈 무료 동영상 강의를 이용할 수 있습니다.

방법 2

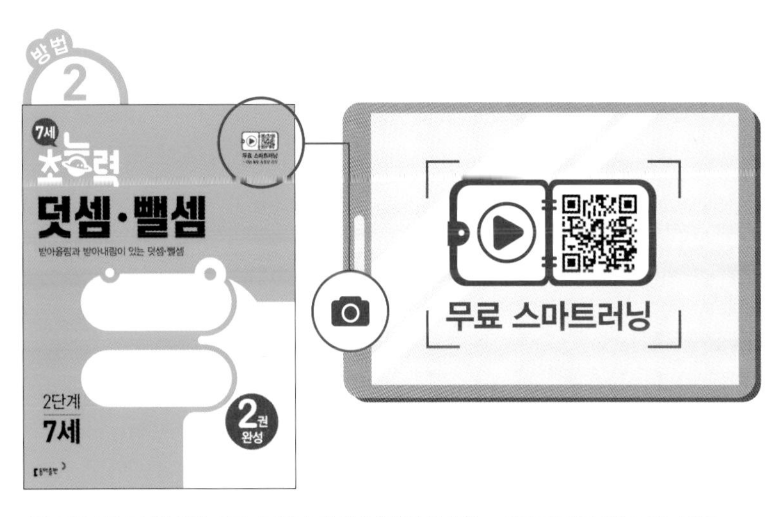

핸드폰이나 태블릿으로 **교재 표지나 본문에 있는 QR코드**를 찍으면 무료 스마트러닝에서 개념 활동 동영상 강의를 이용할 수 있습니다.

초능력 쌤과 키우자, 공부힘!

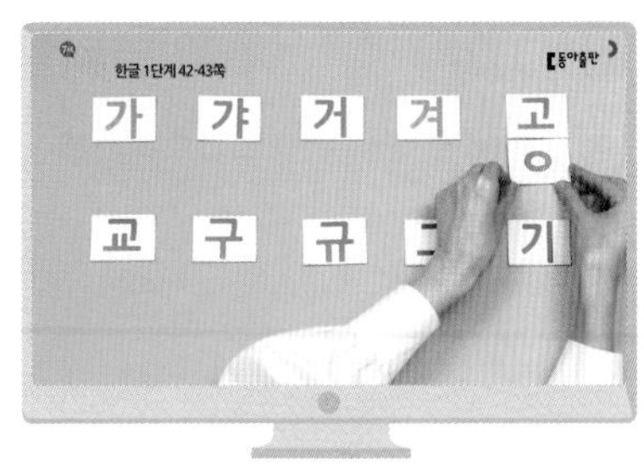

한글 | 글자의 짜임 강의

- 글자 카드를 활용하여 쉽고 재미있게 한글 원리 강의
- 받침과 쌍자음, 복잡한 모음이 들어간 글자 짜임 방식 완벽 이해

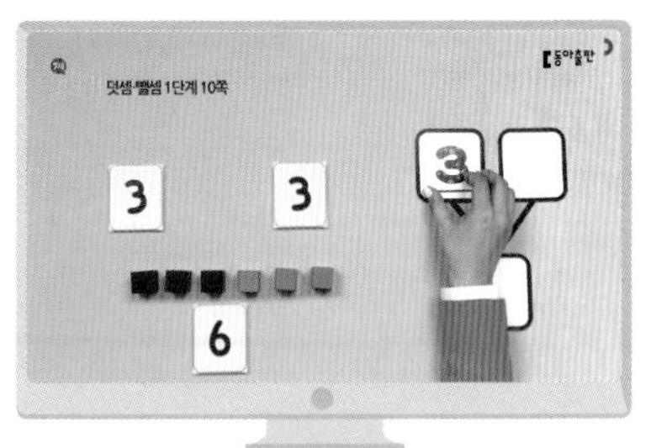

덧셈·뺄셈 | 개념 활동 강의

- 그림과 교구를 활용한 활동으로 덧셈·뺄셈 원리 강의
- 구체물을 활용한 짧고 쉬운 설명으로 덧셈·뺄셈 문제 완벽 이해

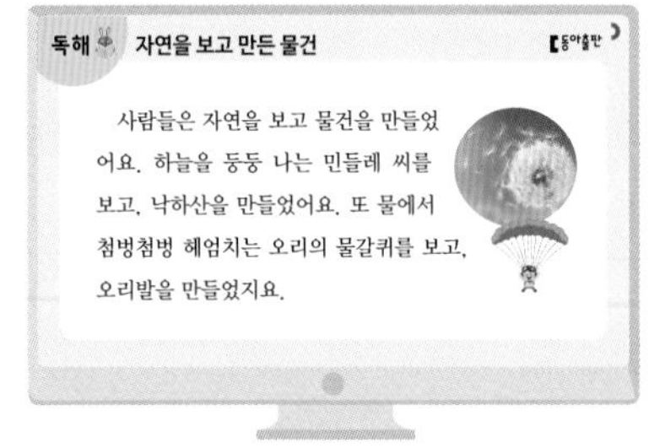

유아 독해 | 비디오북

- 생활 글 전 지문, 동화 전체 수록 작품 비디오북 제공
- 비디오북을 보며 글에 집중하여 따라 읽고 독해력 향상

도형·비교·시계·규칙 | 개념 활동 강의

- 그림과 교구를 활용한 활동으로 도형·비교·시계·규칙 원리 강의
- 구체물을 활용한 짧고 쉬운 설명으로 도형·비교·시계·규칙 문제 완벽 이해

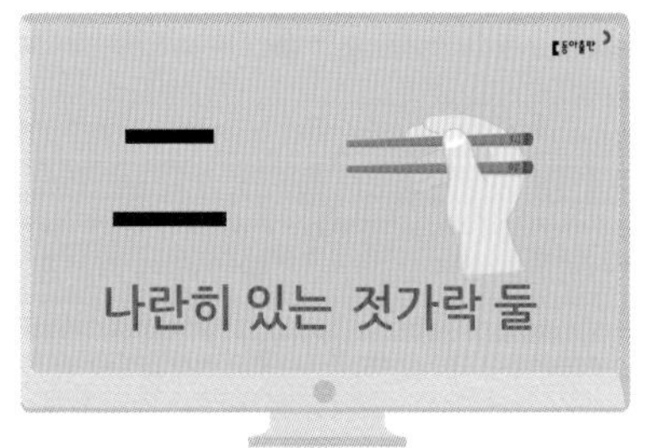

놀이 한자 | 한자 챈트

- 그림으로 상형 문자인 기초 한자를 생생하게 이해
- 한자의 모양·뜻·소리를 동시에 효과적으로 학습

엄마랑 둘이 학습하는 한글 쓰기 / 창의력·집중력

- **한글 쓰기** 실생활에서 많이 쓰이는 132개 낱말의 짜임과 순서를 자세하고 쉽게 이해
- **창의력·집중력** 7세의 창의력과 집중력을 동시에 향상시킬 수 있는 두뇌 계발 교재

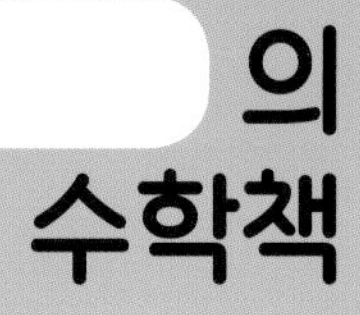

의
수학책

✱ 공부한 날에 맞게 날짜를
쓰고 결과에 맞게 색칠하세요.

일차	공부한 날	😆	😣
1일	/	○	○
2일	/	○	○
3일	/	○	○
4일	/	○	○
5일	/	○	○
6일	/	○	○
7일	/	○	○
8일	/	○	○
9일	/	○	○
10일	/	○	○

일차	공부한 날	😆	😣
11일	/	○	○
12일	/	○	○
13일	/	○	○
14일	/	○	○
15일	/	○	○
16일	/	○	○
17일	/	○	○
18일	/	○	○
19일	/	○	○
20일	/	○	○

※ 모양 따라 오린 후 반으로 접어서 책갈피로 활용하세요!

덧셈·뺄셈

받아올림과 받아내림이 있는 덧셈·뺄셈

2단계

7세

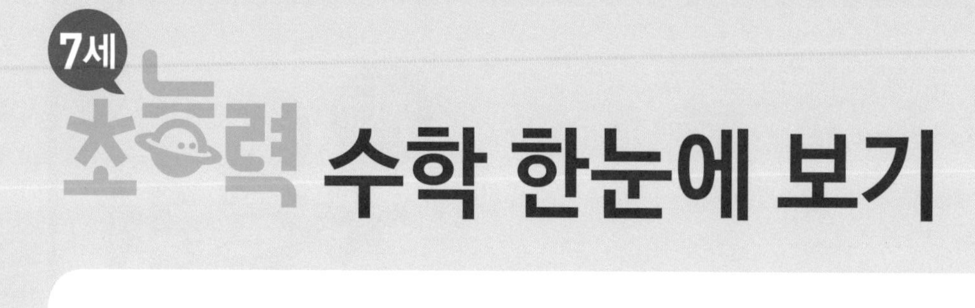

수학 한눈에 보기

덧셈·뺄셈

초등학교 수학의 기초인 연산을 위해 필수적인 것으로만 구성한 덧셈•뺄셈입니다. 받아올림/받아내림으로 구분하여 단계적으로 접근할 수 있습니다.

1단계 받아올림/받아내림이 없는 덧셈·뺄셈

주제1	한 자리 수의 덧셈
주제2	한 자리 수의 뺄셈
주제3	두 자리 수의 덧셈
주제4	두 자리 수의 뺄셈

2단계 받아올림/받아내림이 있는 덧셈·뺄셈

주제5	10의 덧셈과 뺄셈
주제6	세 수의 덧셈과 뺄셈
주제7	받아올림이 있는 덧셈
주제8	받아내림이 있는 뺄셈

도형·비교·시계·규칙

초등학교 1학년에서 배우는 입체도형/평면도형의 여러 가지 모양과 크기, 길이, 무게 등의 비교에 대해 알아보고, 일상생활에서도 중요한 시계 보기와 규칙에 대해 연습할 수 있습니다.

1권 입체도형과 평면도형·비교하기

주제1	입체도형과 평면도형
주제2	비교하기

2권 시계 보기·규칙 알기

주제3	시계 보기
주제4	규칙 알기

덧셈·뺄셈 | 구성

그림과 질문으로 호기심을 유발해요

거위가 황금알을 낳았어요!
거위가 반짝반짝 빛이 나는
황금알을 낳았어요.
거위 뱃속에는 얼마나 많은
황금알이 들어 있을까요?

아이들에게 친숙한 이야기로 공부에 대한 부담감을 줄여 주고 즐겁게 시작할 수 있어요.

- 학부모님만 보세요.
  해당 주제의 핵심 학습 내용 및 연관된 초등학교 수학 교과 단원을 알려 드려요.

그림으로 원리를 이해하고, 단계별로 문제를 풀어요

그림을 살펴보는 활동을 통해 원리를 이해하고, 구체화 > 도식화 > 기호화 로 제시된 문제로 해결하면서 수학적 개념을 익힐 수 있어요.

- 개념 활동 강의
  QR코드를 찍으면 개념을 이해하는 데 도움이 되는 강의를 볼 수 있어요.

- 그림으로 생각 키우기
  창의적인 그림 그리기 활동을 통해 수학 공부를 즐거운 경험으로 만들어 줘요.

7세 초능력 덧셈·뺄셈 | 차례

1단계 받아올림/받아내림이 없는 덧셈·뺄셈

2단계 받아올림/받아내림이 있는 덧셈·뺄셈

의

맨 처음 수학책

주제 5

10의 덧셈과 뺄셈

거위가 황금알을 낳았어요!

• **무엇을 알게 될까요?**

거위가 낳은 황금알 10알을 모으고 가르는 활동을 통해 자연스럽게 10이 되는 두 수를 만들 수 있게 되어 **10의 덧셈과 뺄셈** 방법을 알게 됩니다.

• **언제 배우나요?**

이번에 공부할 내용은 **초등학교 1학년 1학기 3단원 덧셈과 뺄셈, 1학년 2학기 4단원 덧셈과 뺄셈(2)** 단원에서 배우게 됩니다.

거위가 반짝반짝 빛이 나는 황금알을 낳았어요.
거위 뱃속에는 얼마나 많은 황금알이 들어 있을까요?

1일

10 모으기

개념 활동 강의

황금알을 모두 모아 볼까요?

황금알 5개와 5개를 모으면 10개가 돼요.

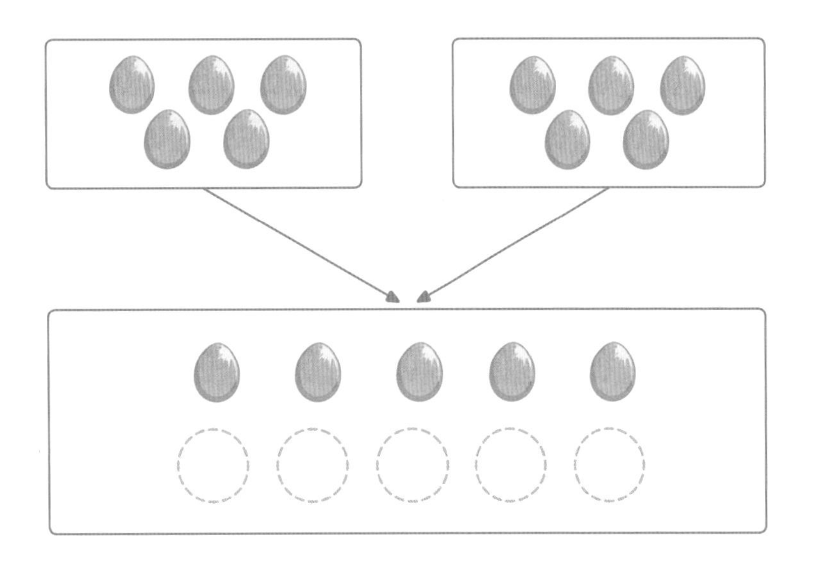

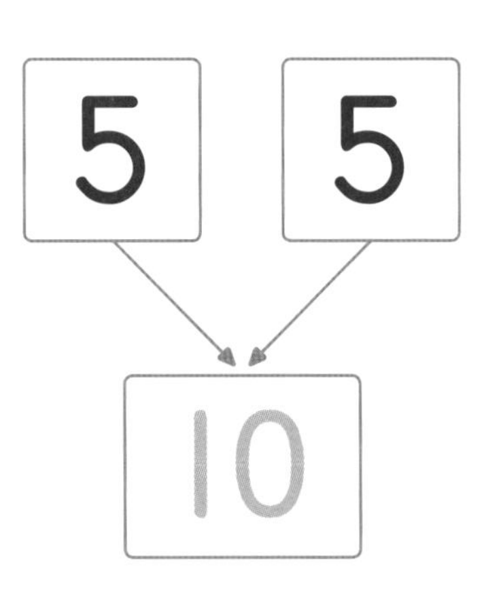

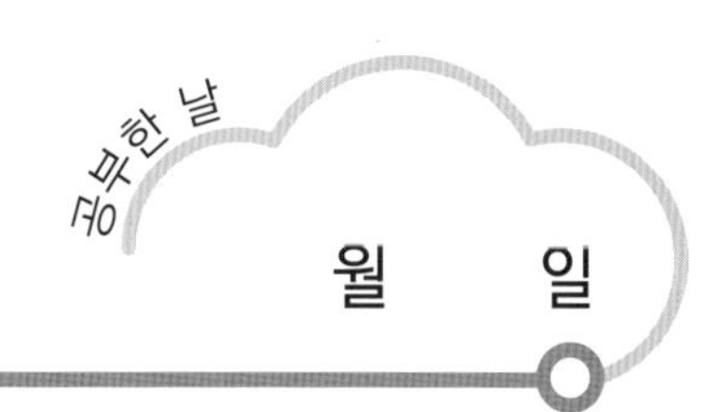

정답 104쪽

달걀판에 달걀을 채워 모으기를 하세요.

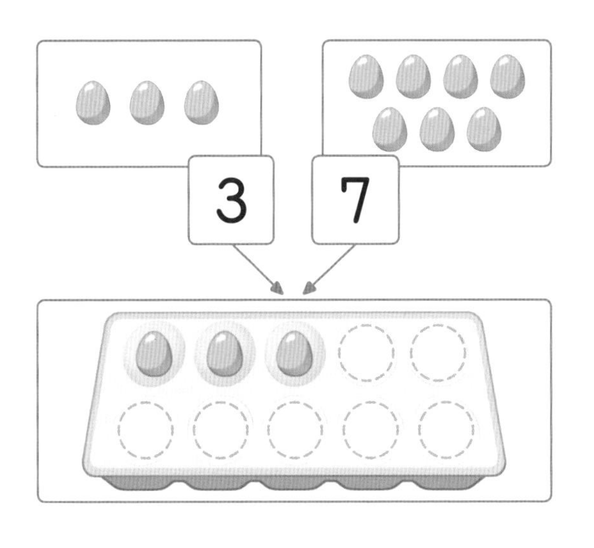

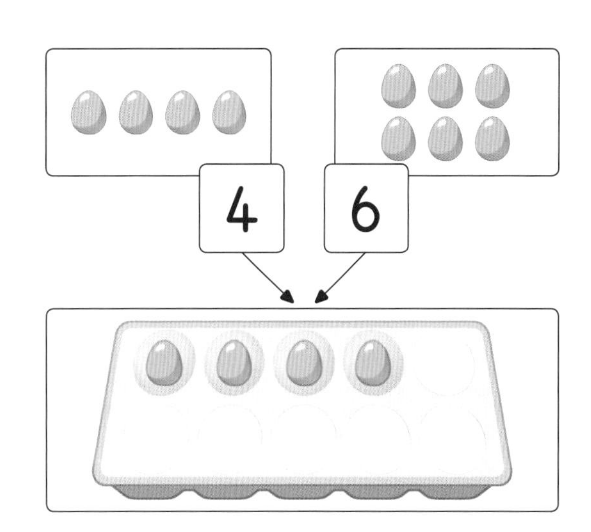

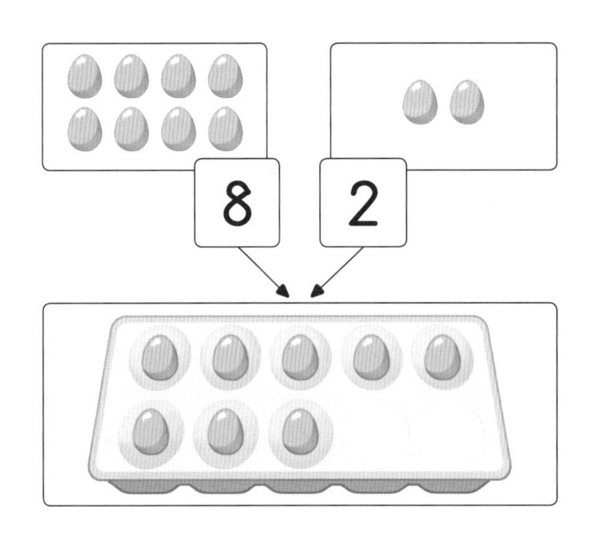

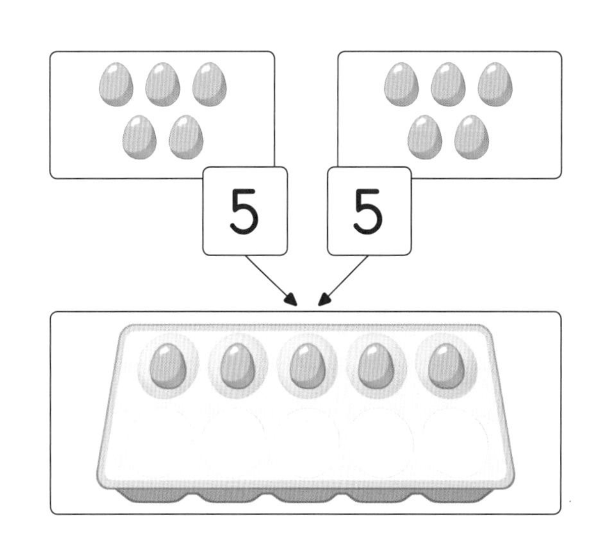

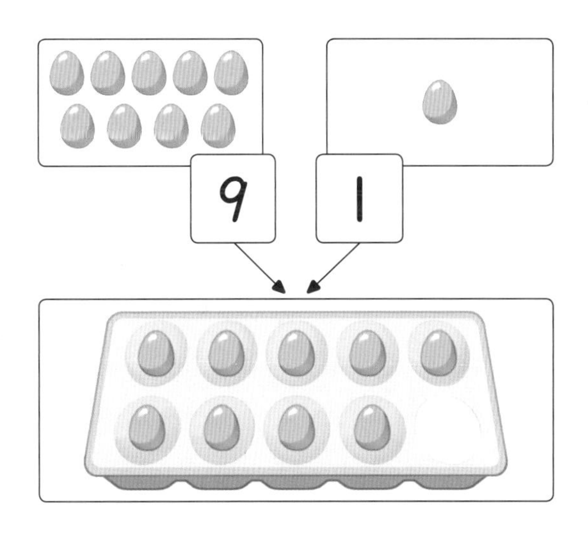

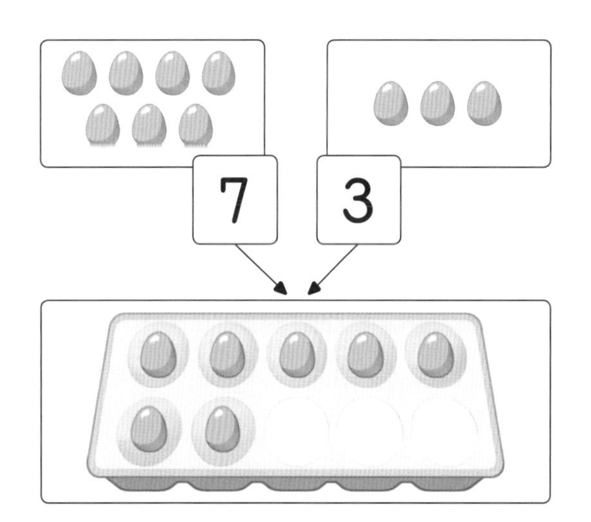

1일 10 모으기

손가락을 모아 모으기를 하세요.

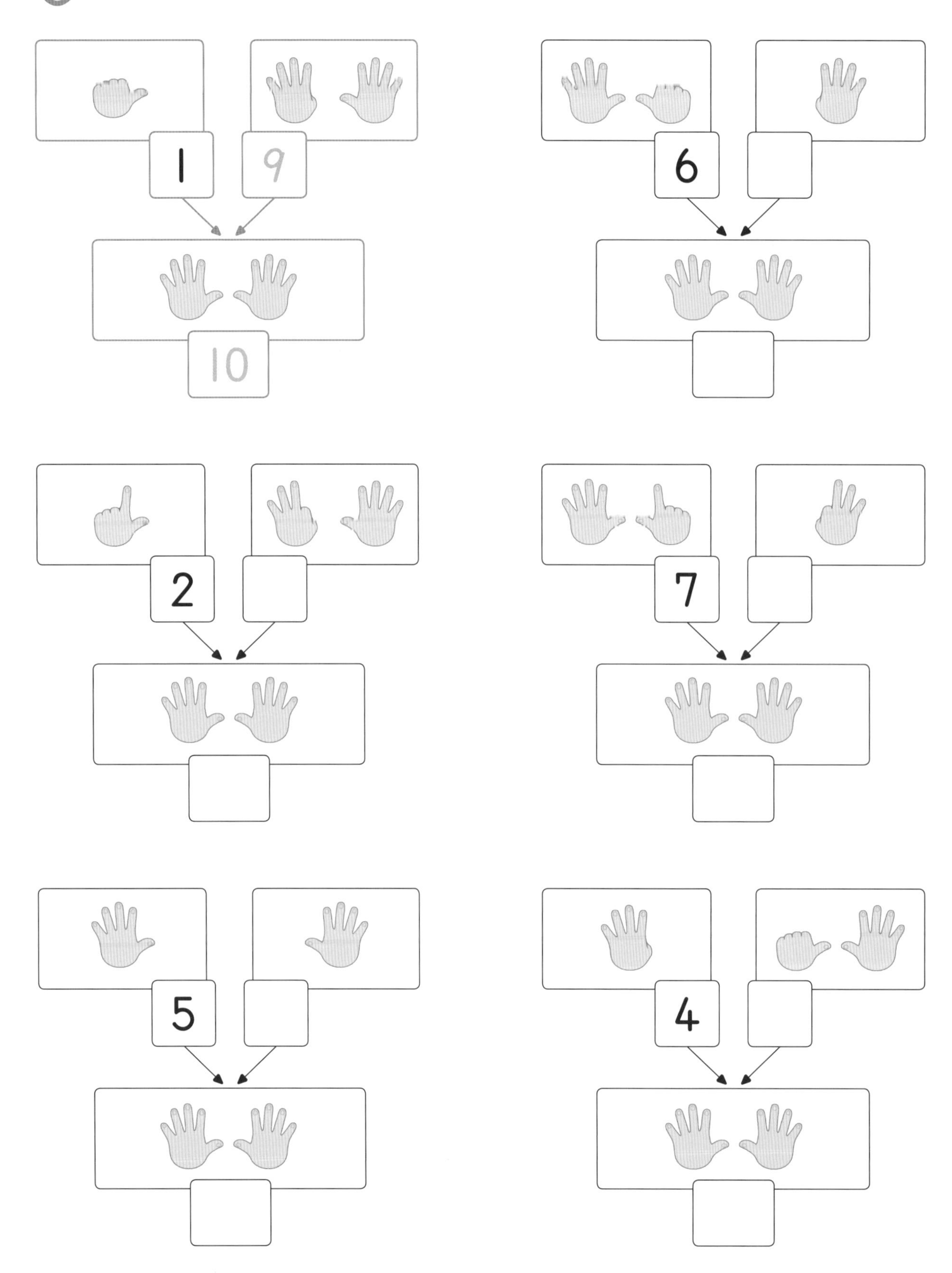

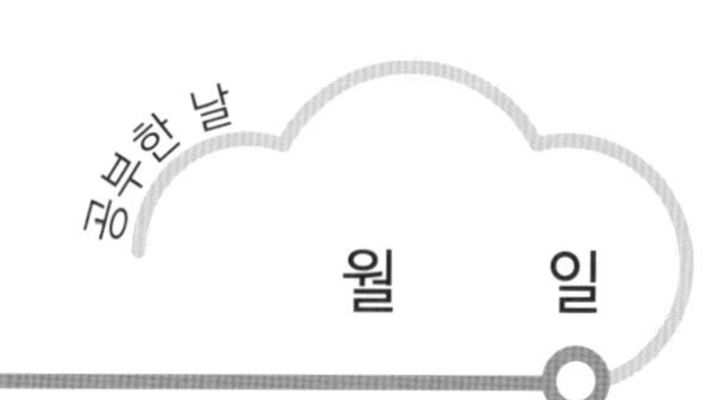

정답 104쪽

10이 되도록 모으기를 했습니다. 빈 곳에 알맞은 수를 써넣으세요.

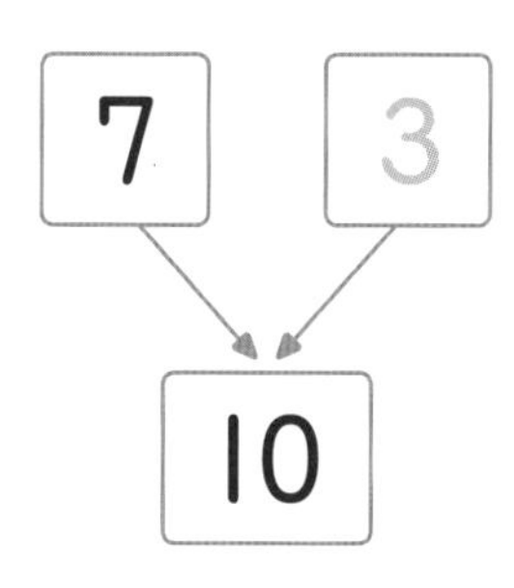

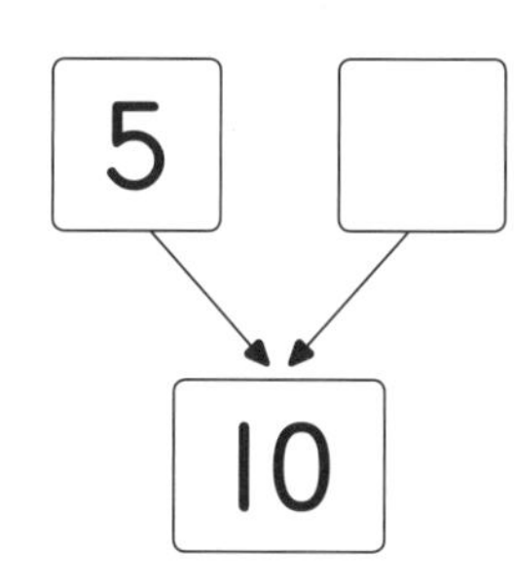

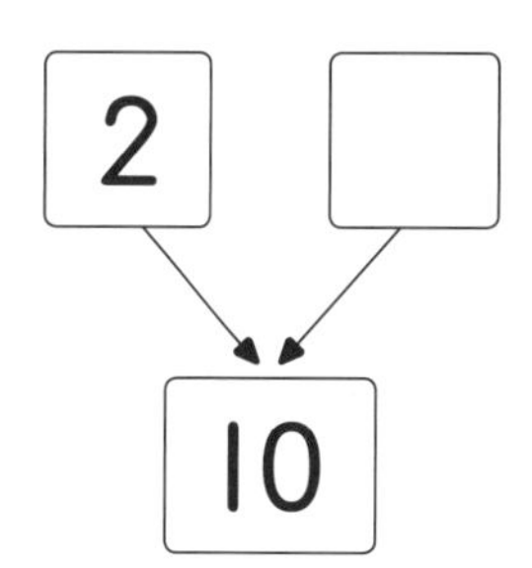

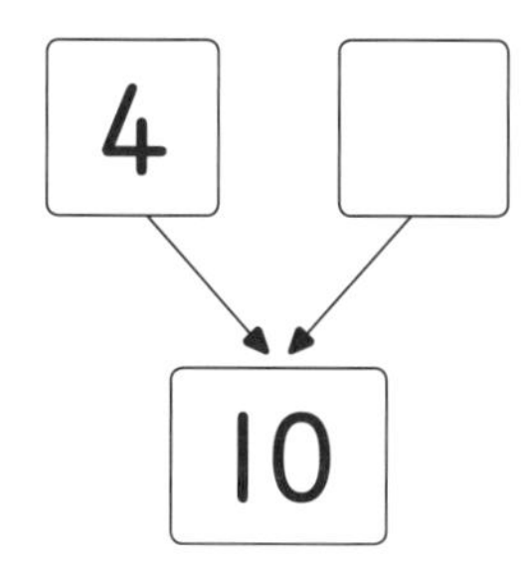

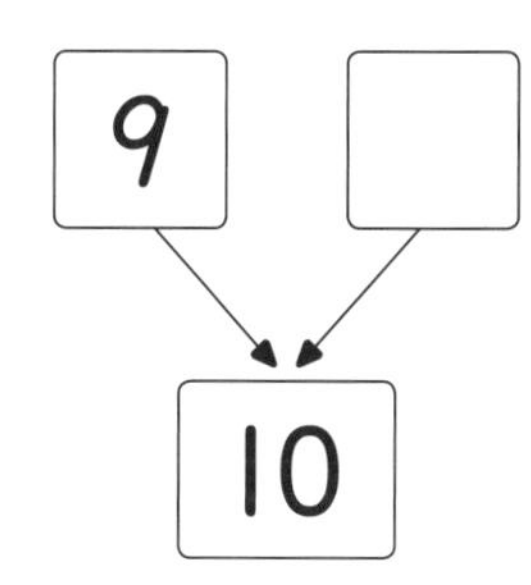

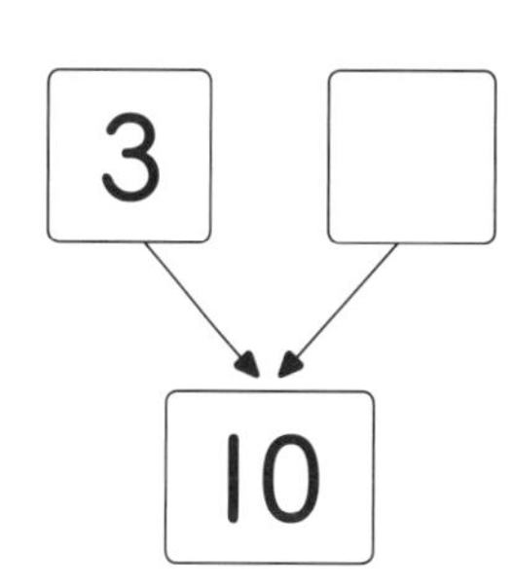

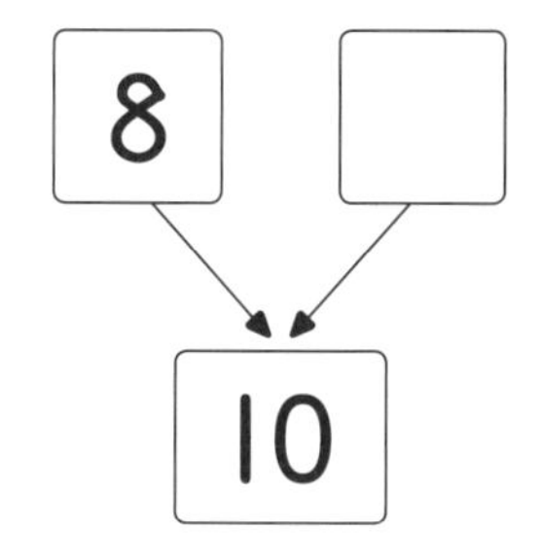

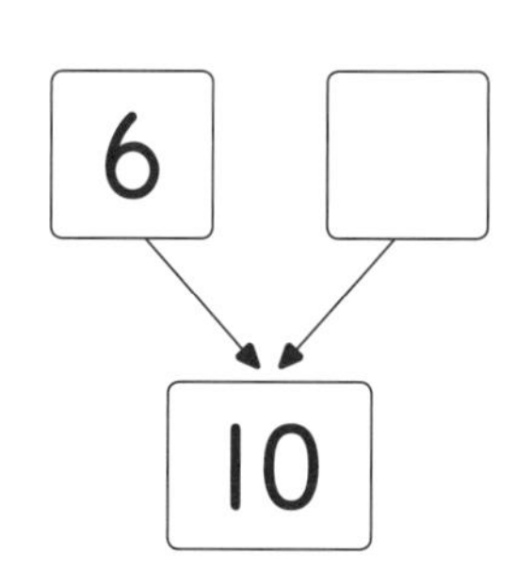

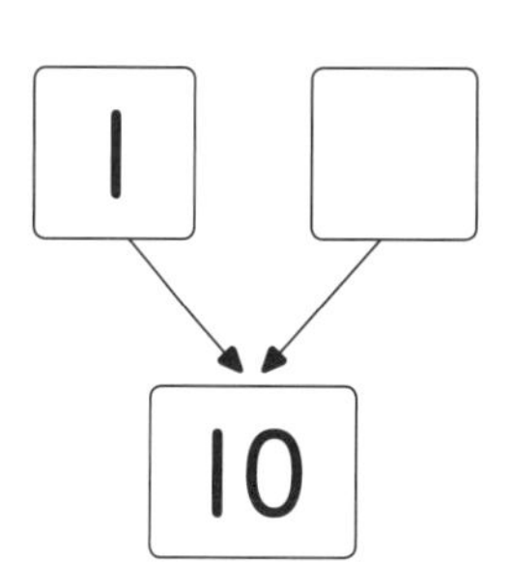

달콤한 아이스크림을 그려 볼까요?

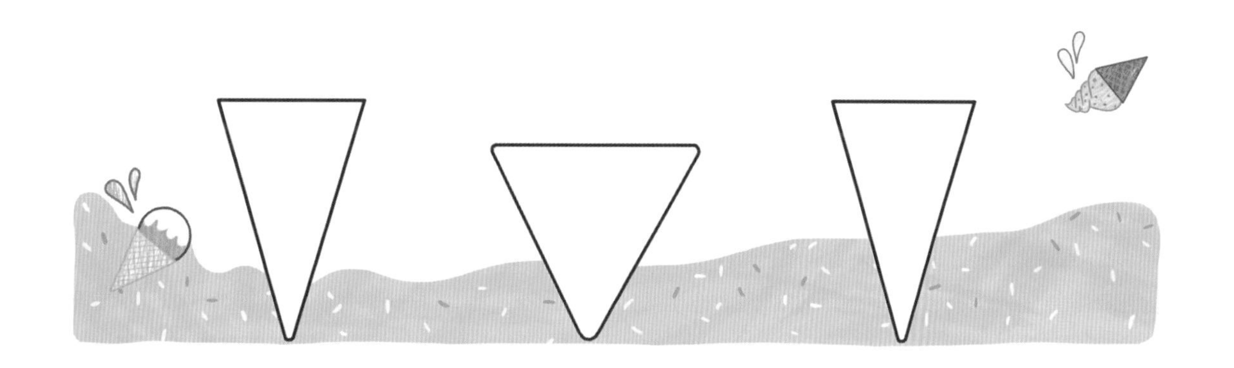

2일 10 가르기

개념 활동 강의

생일케이크의 초를 갈라 볼까요?

초 10개를 파란색 초 5개와 빨간색 초 5개로 가를 수 있어요.

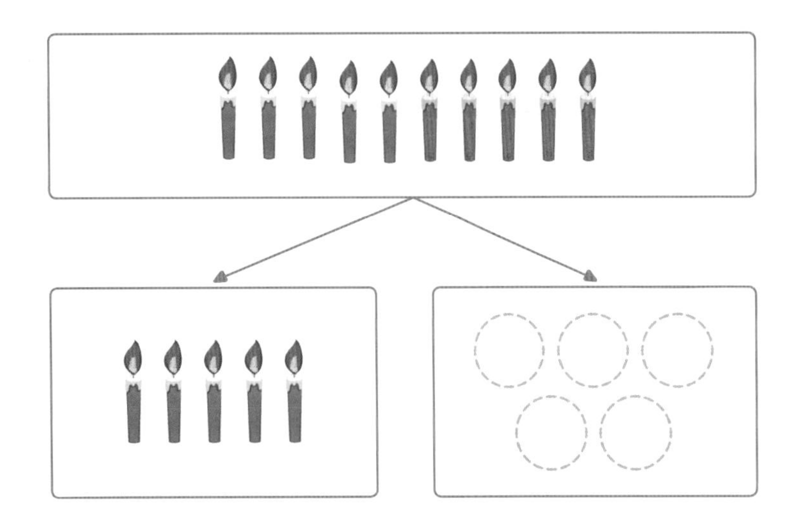

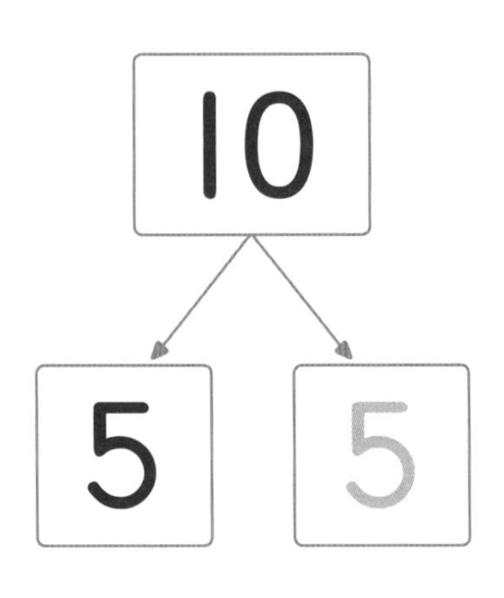

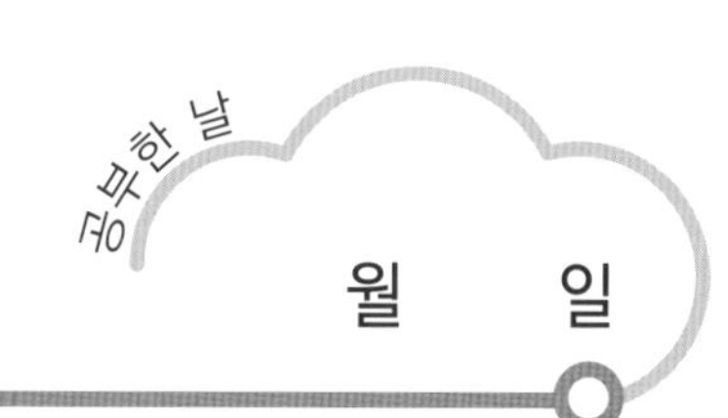

정답 104쪽

구슬을 주황색과 초록색으로 나누어 가르기를 하세요.

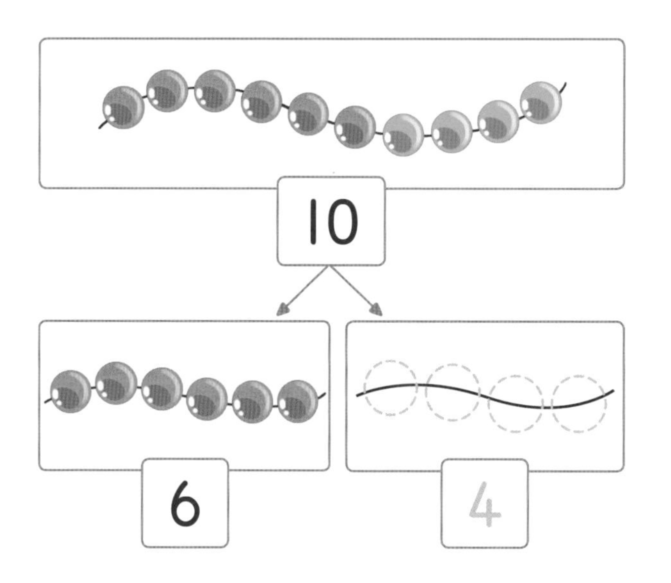

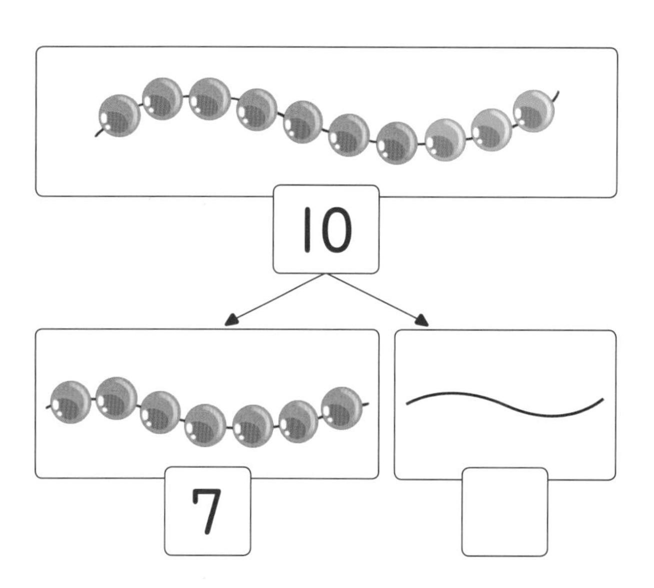

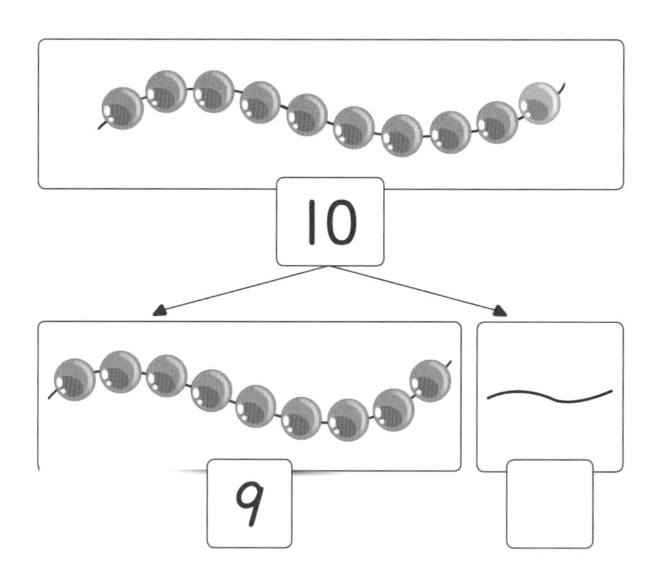

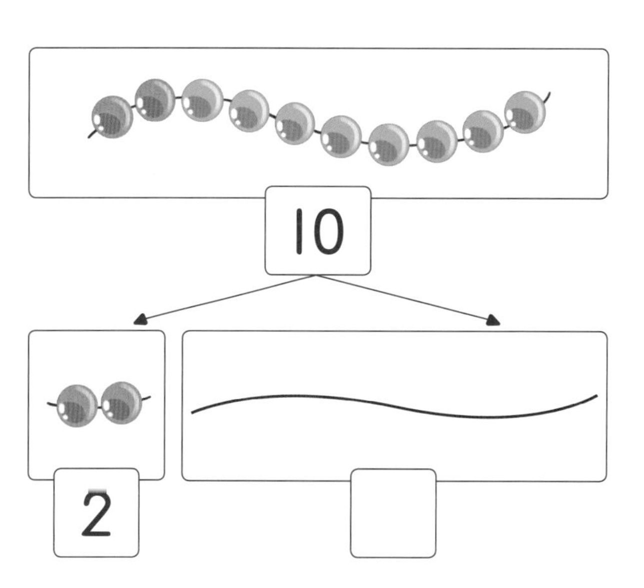

2일 10 가르기

손가락을 나누어 가르기를 하세요.

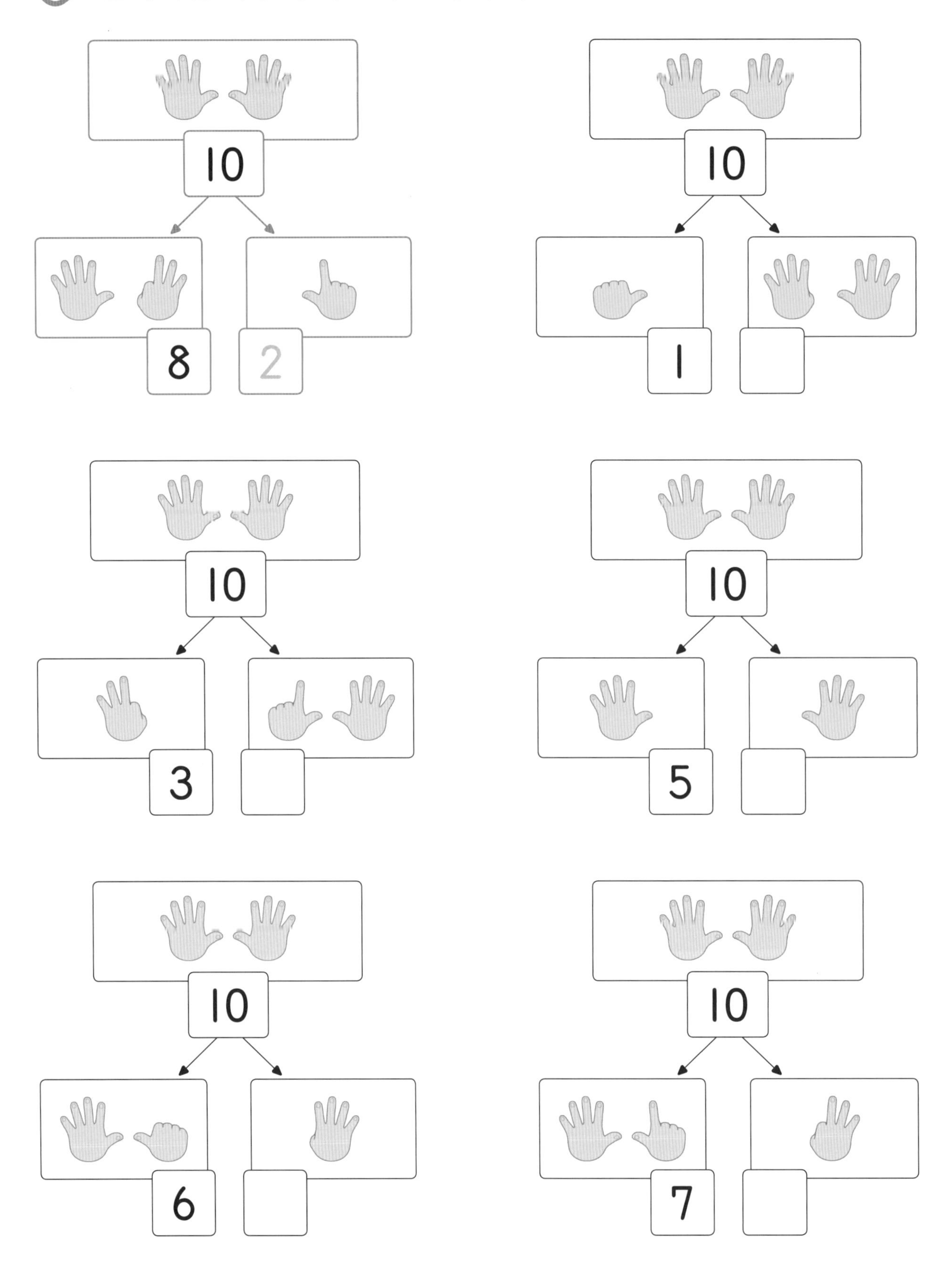

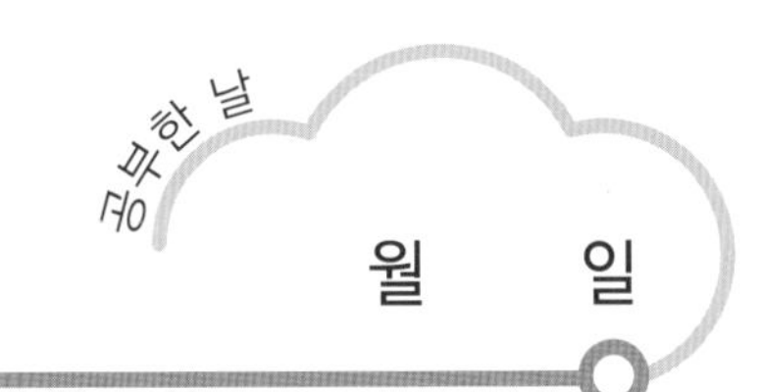

정답 105쪽

가르기를 하세요.

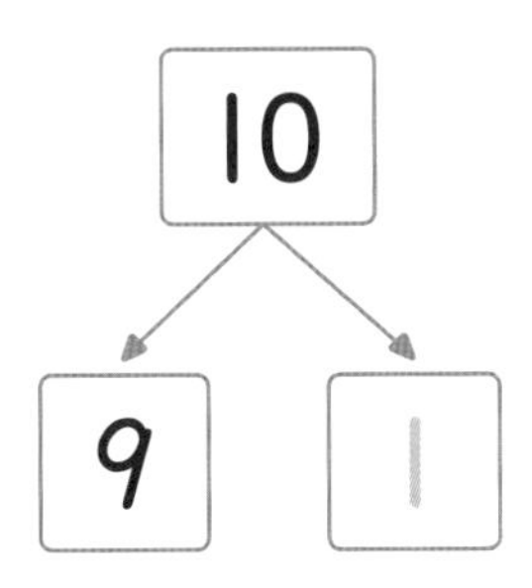
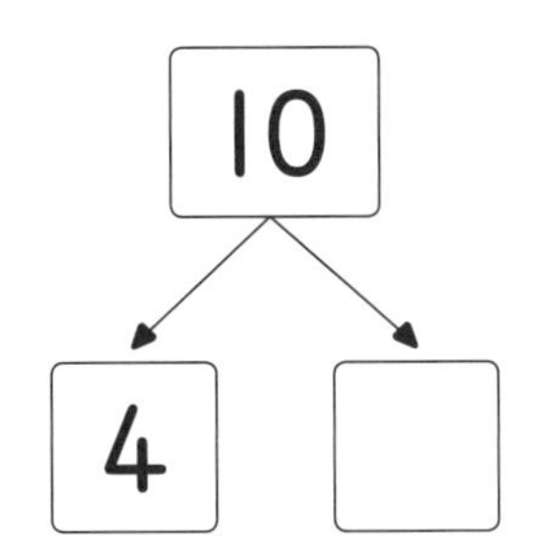
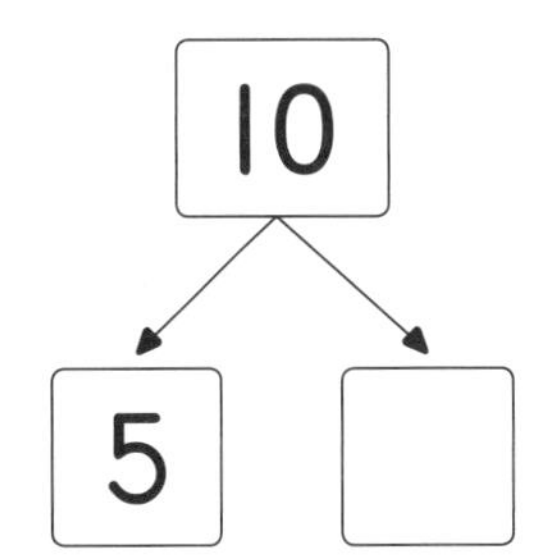
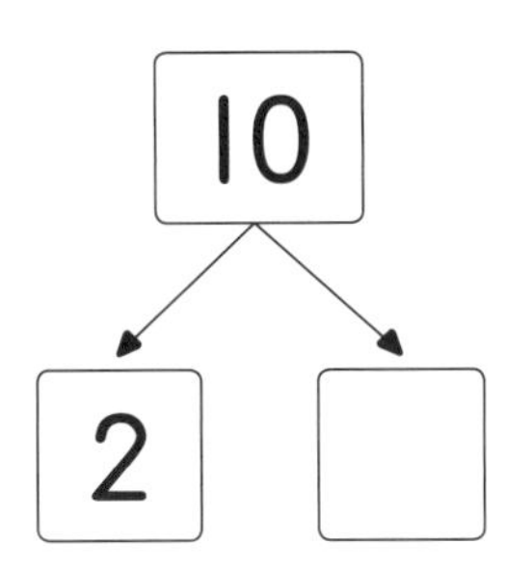
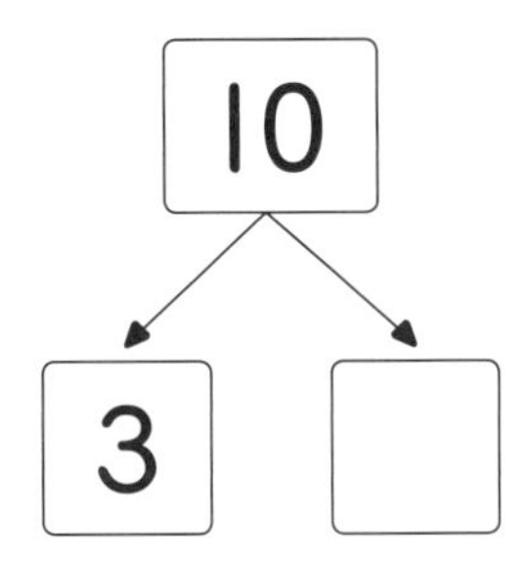
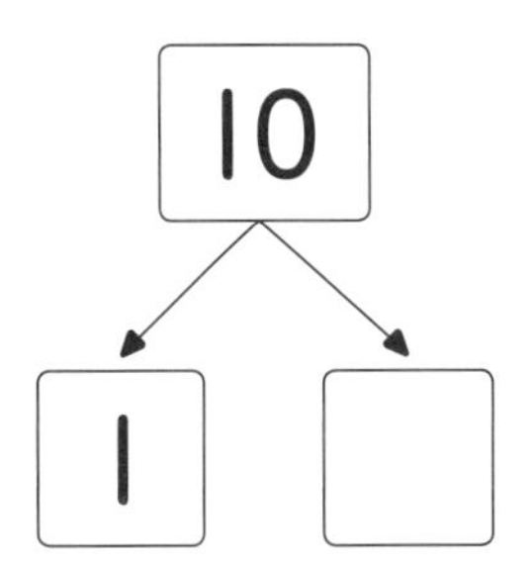
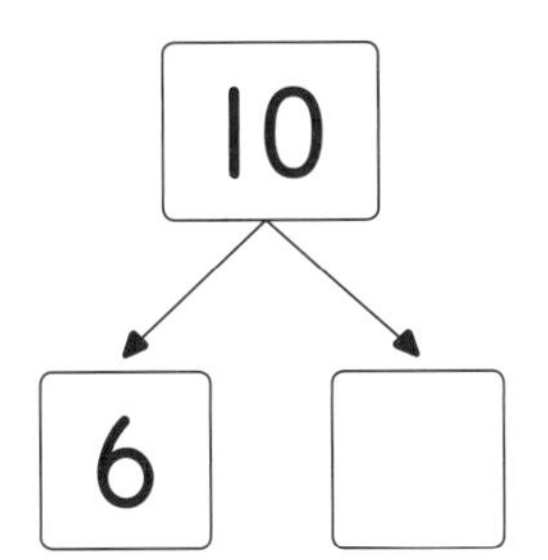
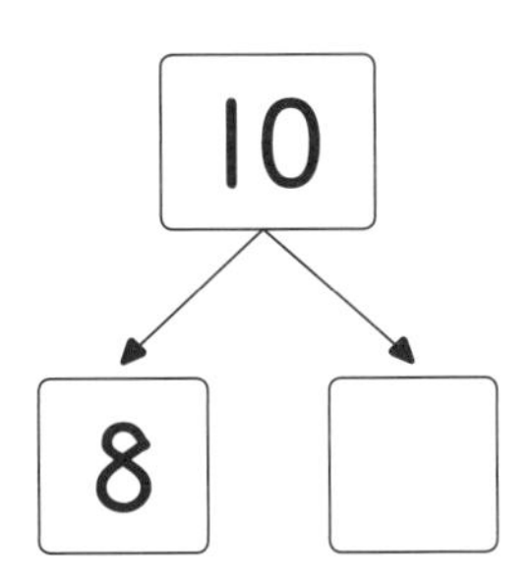
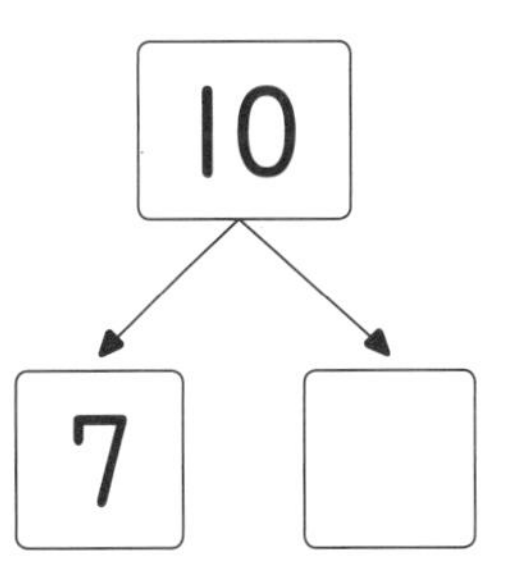

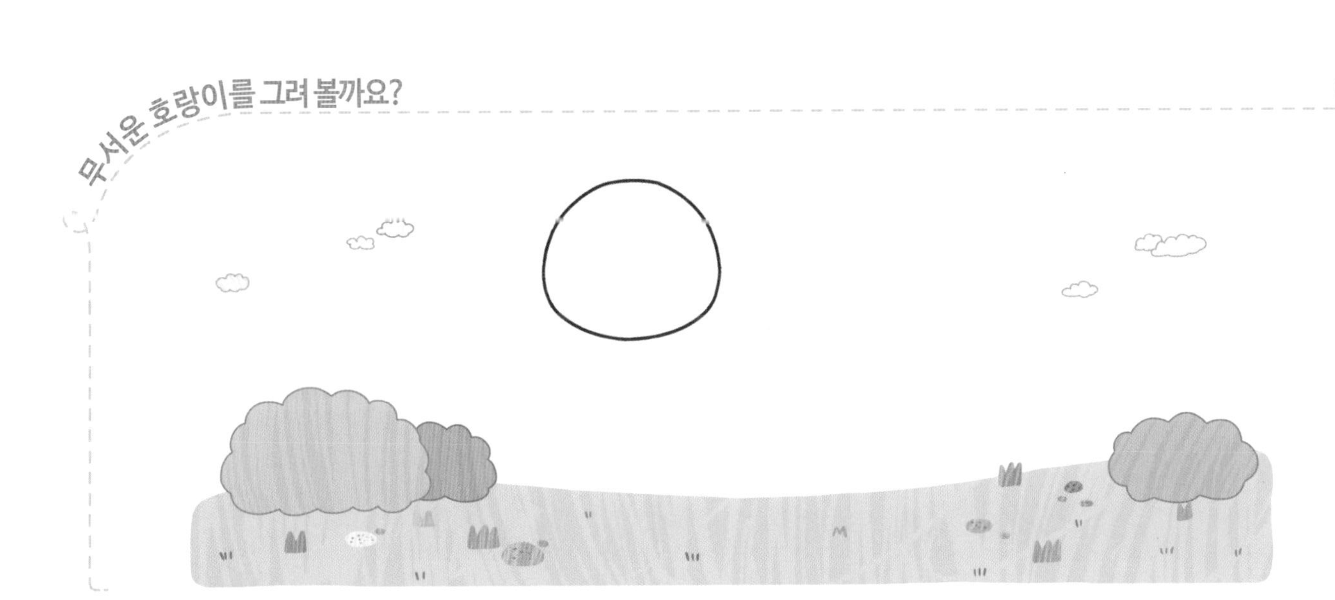

10이 되는 두 수

개념 활동 강의

슈퍼 딱지가 10장이 되려면 몇 장이 더 필요할까요?

10장이 되도록 ◯를 그려서 세어 보면 6장이 더 필요해요.

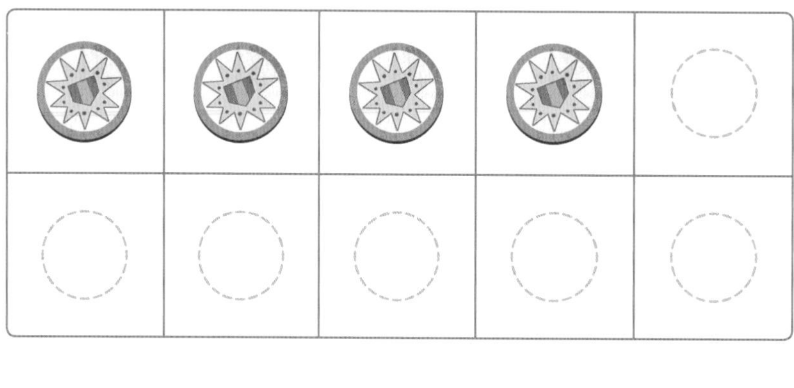

4	6

→ 10

정답 105쪽

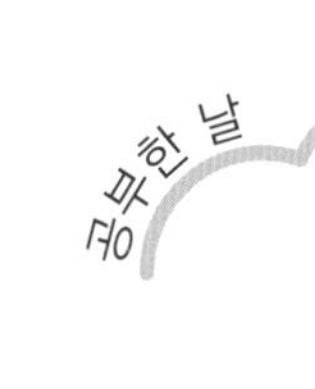

○를 그려서 10이 되는 수를 찾으세요.

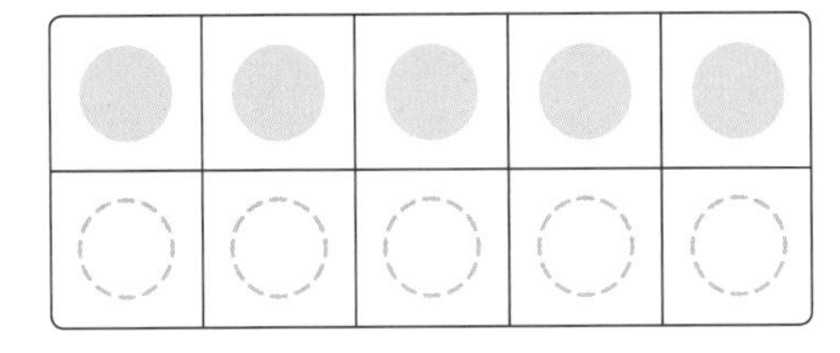

5	5

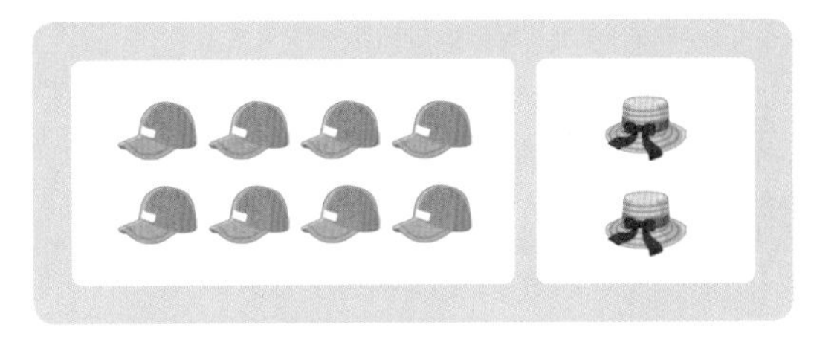

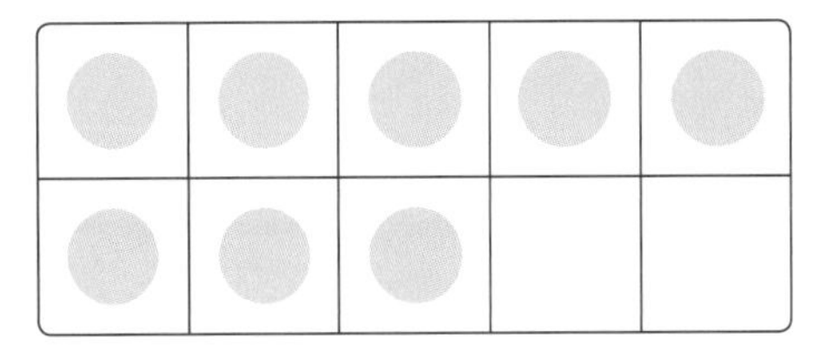

8	

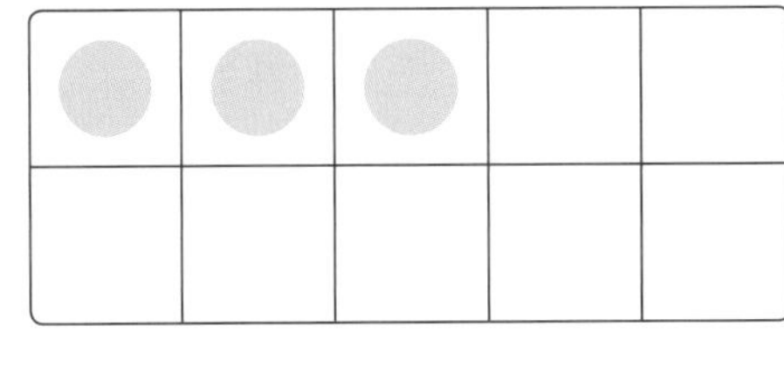

3	

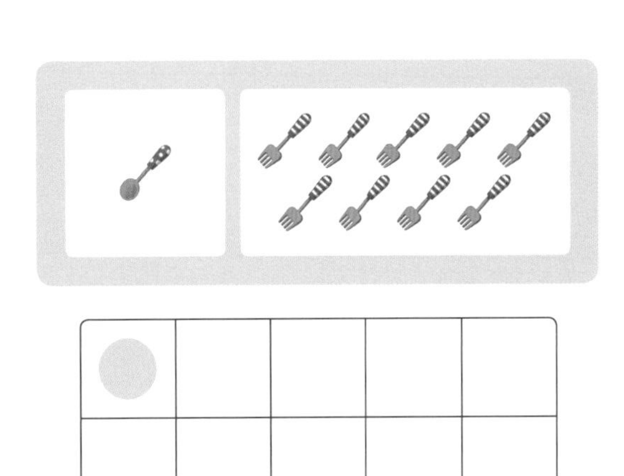

1	

3일 10이 되는 두 수

그림을 보고 10이 되는 수를 찾으세요.

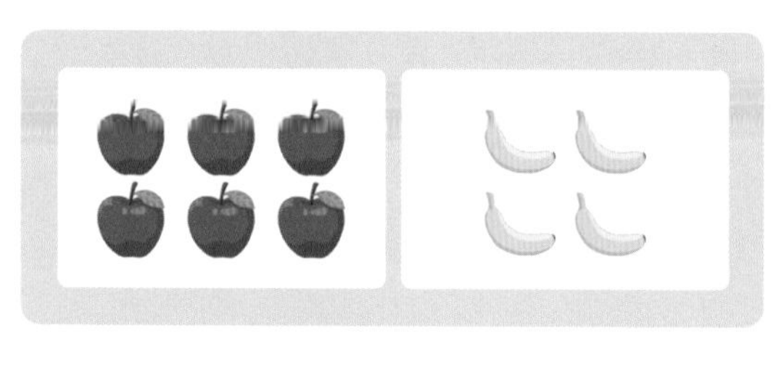

6	4

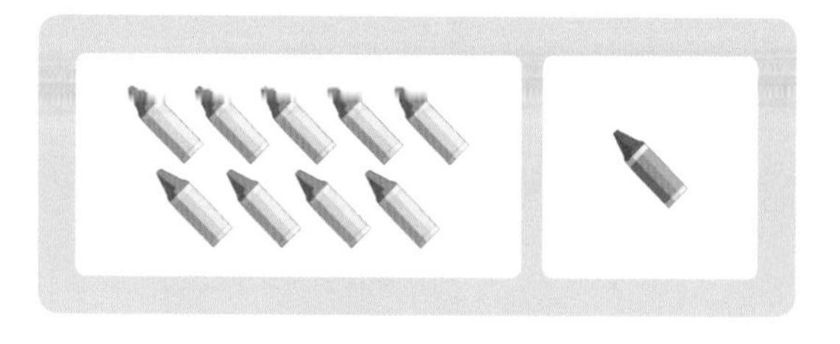

9	

7	

2	

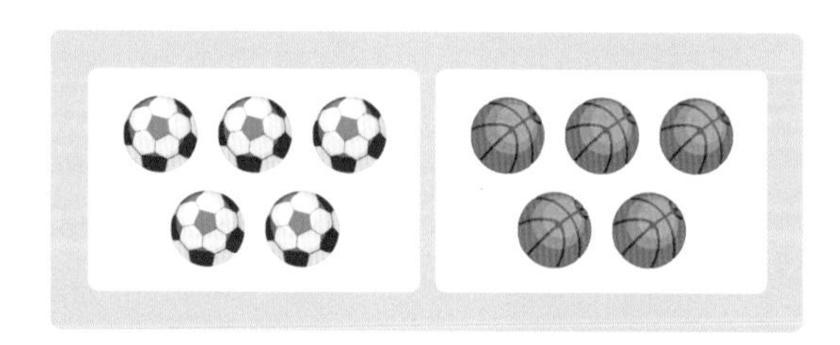

5	

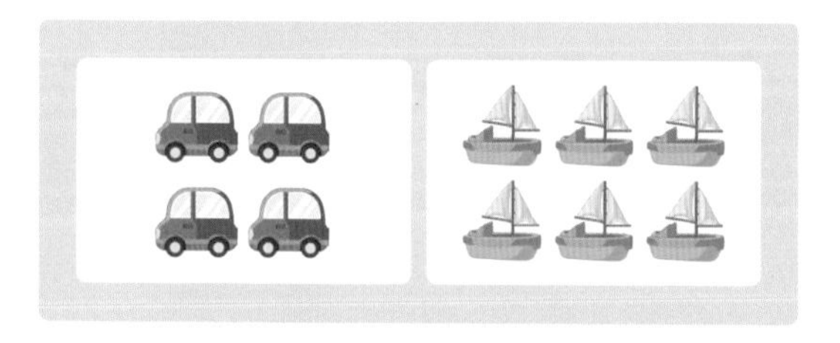

4	

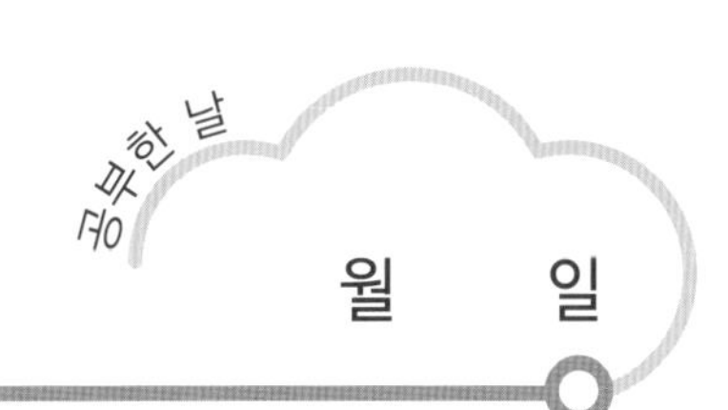

10이 되는 두 수를 모두 찾아 ◯표 하세요.

옆으로 걸어가는 꽃게를 그려 볼까요?

10이 되는 덧셈

개념 활동 강의

오징어 다리는 모두 몇 개일까요?

긴 다리 2개는 ▭로, 나머지 다리 8개는 ○로
그려서 세어 보면 모두 10개가 돼요.

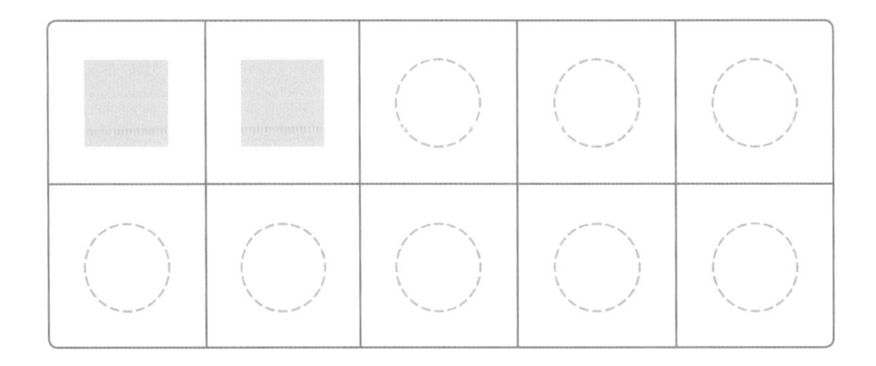

$2 + \boxed{8} = 10$

정답 106쪽

10이 되도록 ◯를 그리고 ☐ 안에 알맞은 수를 써넣으세요.

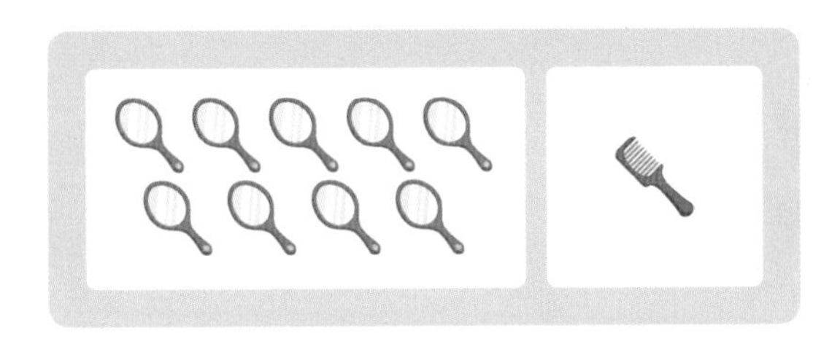

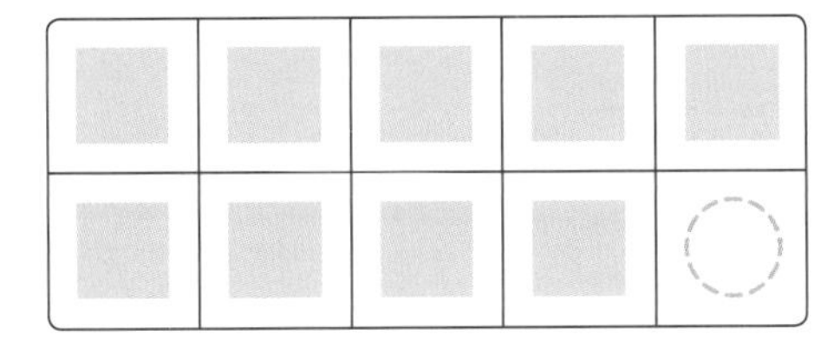

$9 + \boxed{1} = 10$

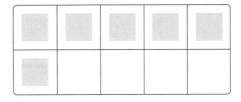

$6 + \square = 10$

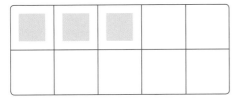

$3 + \square = 10$

$5 + \square = 10$

4일 10이 되는 덧셈

그림을 보고 덧셈을 하세요.

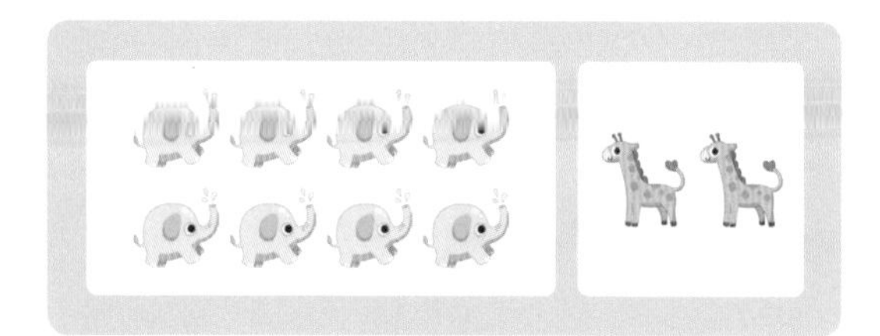

8 + [2] = [10]

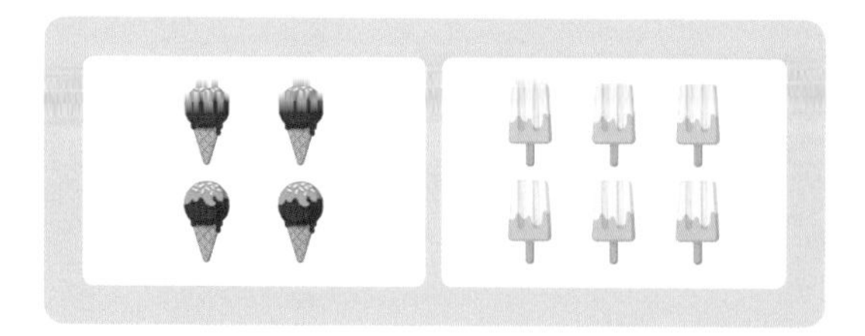

4 + [ ] = [ ]

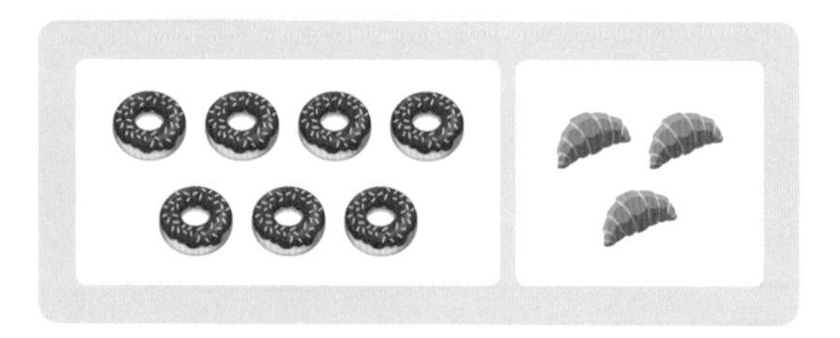

7 + [ ] = [ ]

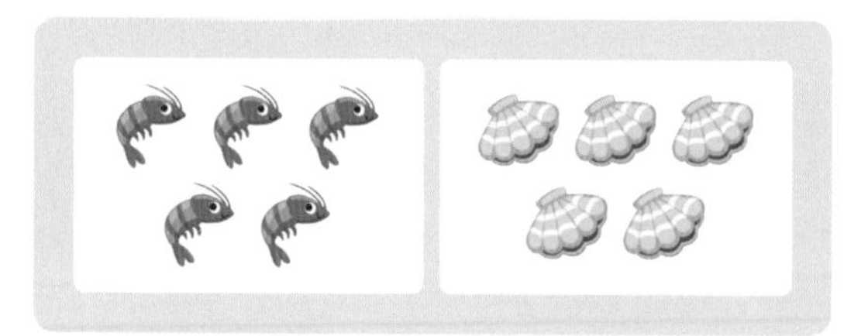

5 + [ ] = [ ]

2 + [ ] = [ ]

1 + [ ] = [ ]

정답 106쪽

덧셈을 하세요.

$4+6=$ 10

$7+3=$ ☐

$9+1=$ ☐

$2+8=$ ☐

$5+5=$ ☐

$6+4=$ ☐

$8+2=$ ☐

$3+7=$ ☐

$1+9=$ ☐

높이 나는 비행기를 그려 볼까요?

10에서 빼는 뺄셈

개념 활동 강의

남은 피자는 몇 조각일까요?

피자 10조각에서 먹은 2조각을 ／로 지우면 8조각이 남아요.

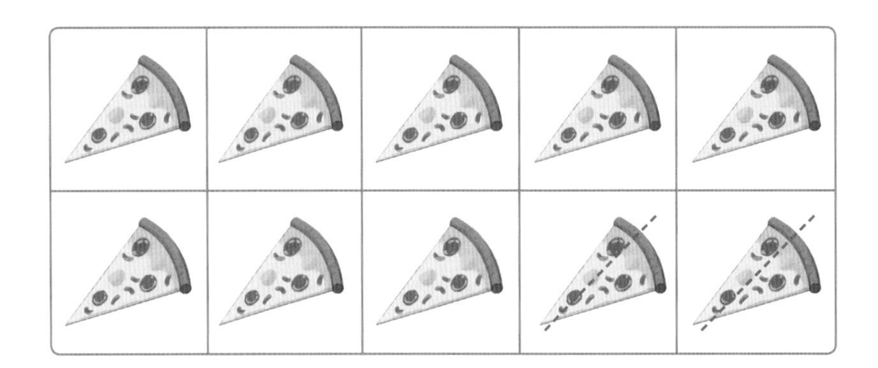

$10-2=$ 8

정답 106쪽

덜어내는 수만큼 ╱로 지우고 □ 안에 알맞은 수를 써넣으세요.

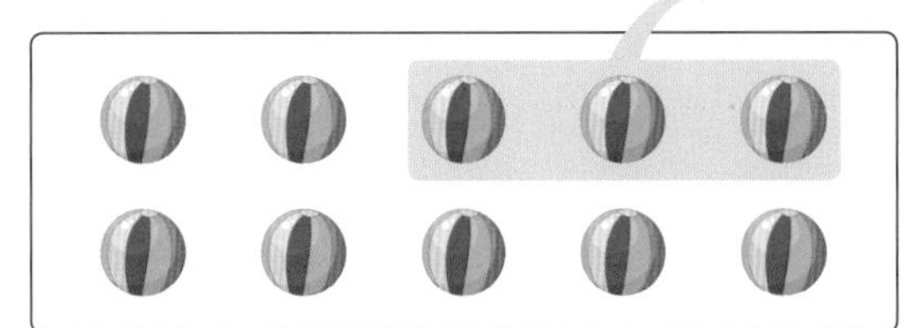

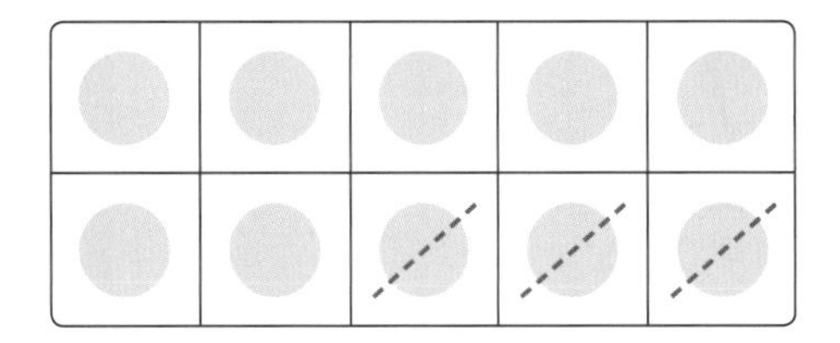

$10-3=$ 7

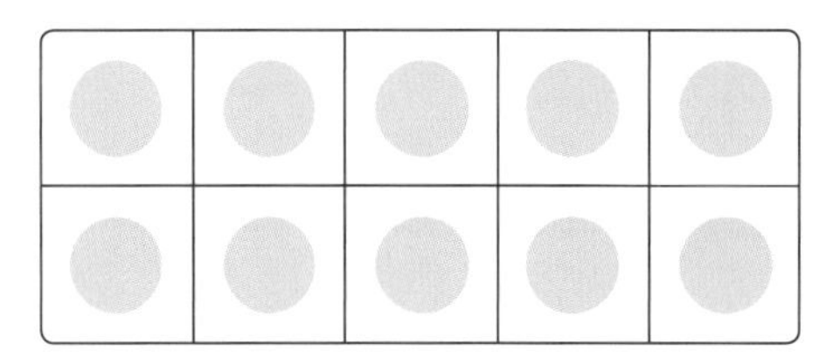

$10-4=$ □

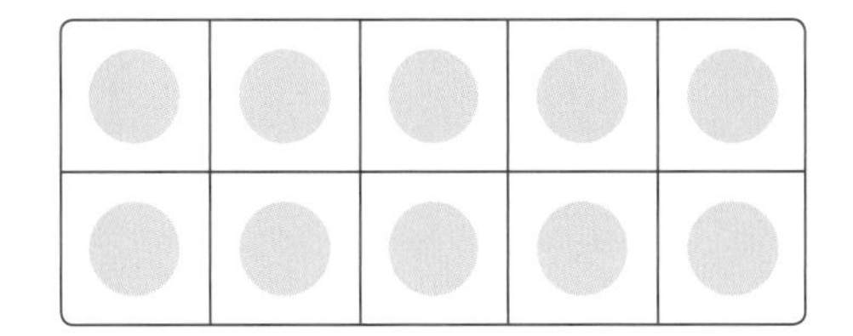

$10-8=$ □

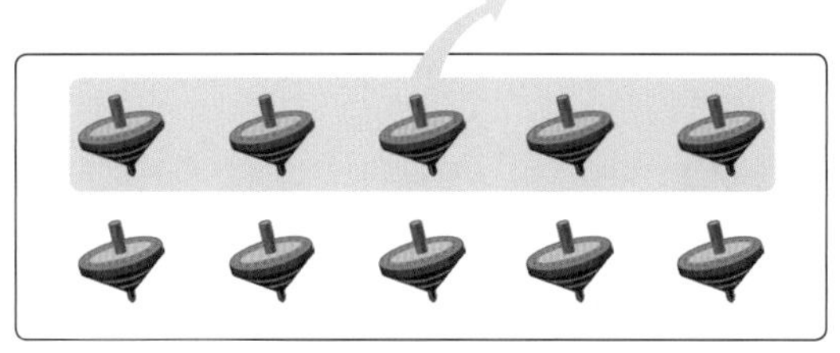

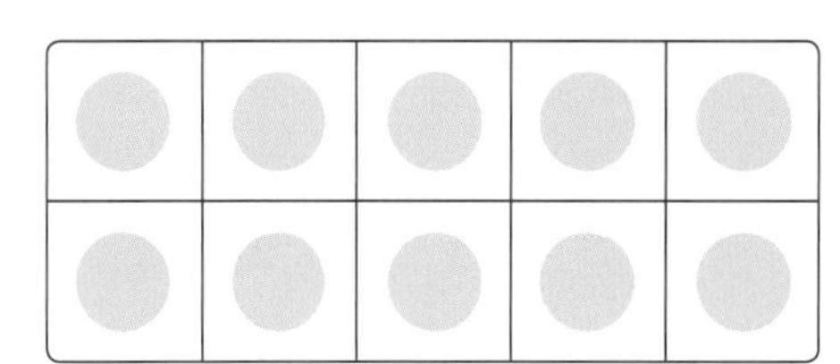

$10-5=$ □

5일 10에서 빼는 뺄셈

그림을 보고 뺄셈을 하세요.

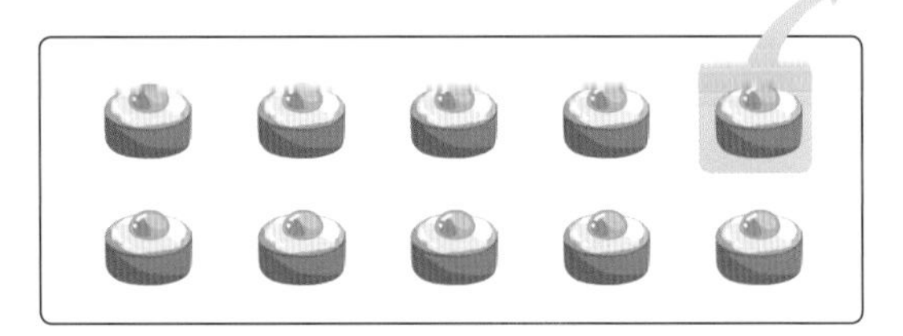

$10 - 1 =$ 9

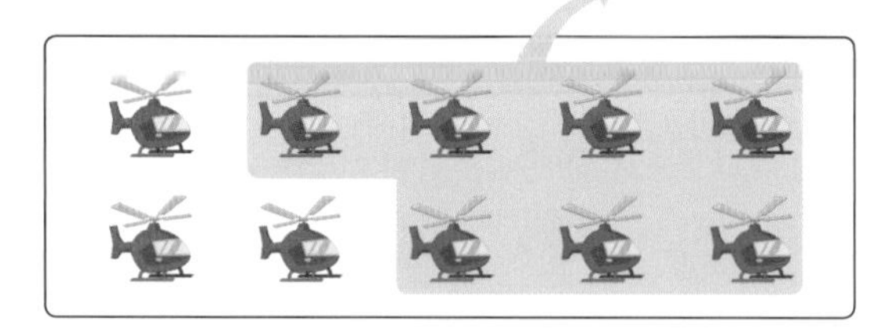

$10 - 7 =$ □

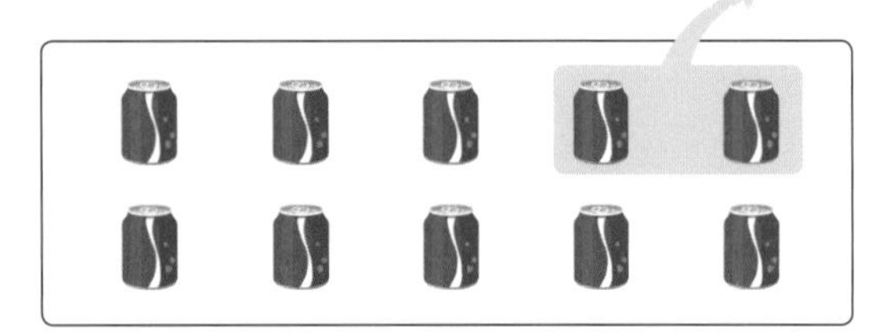

$10 - 2 =$ □

$10 - 5 =$ □

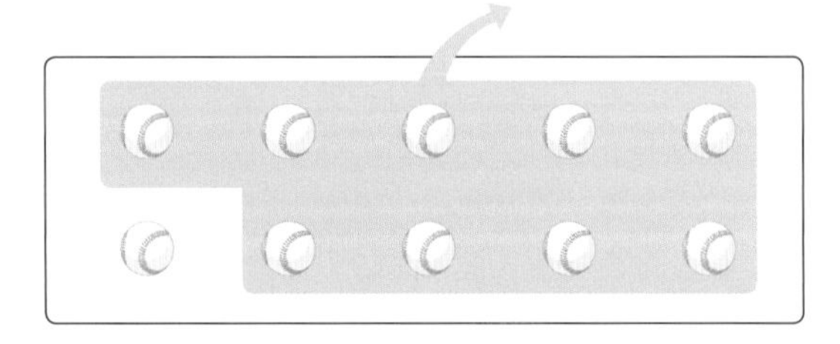

$10 - 9 =$ □

$10 - 3 =$ □

정답 107쪽

빼셈을 하세요.

$10-8=$ 2

$10-3=$ □

$10-5=$ □

$10-7=$ □

$10-1=$ □

$10-4=$ □

$10-2=$ □

$10-6=$ □

$10-9=$ □

축구 골대에 축구공을 넣어요

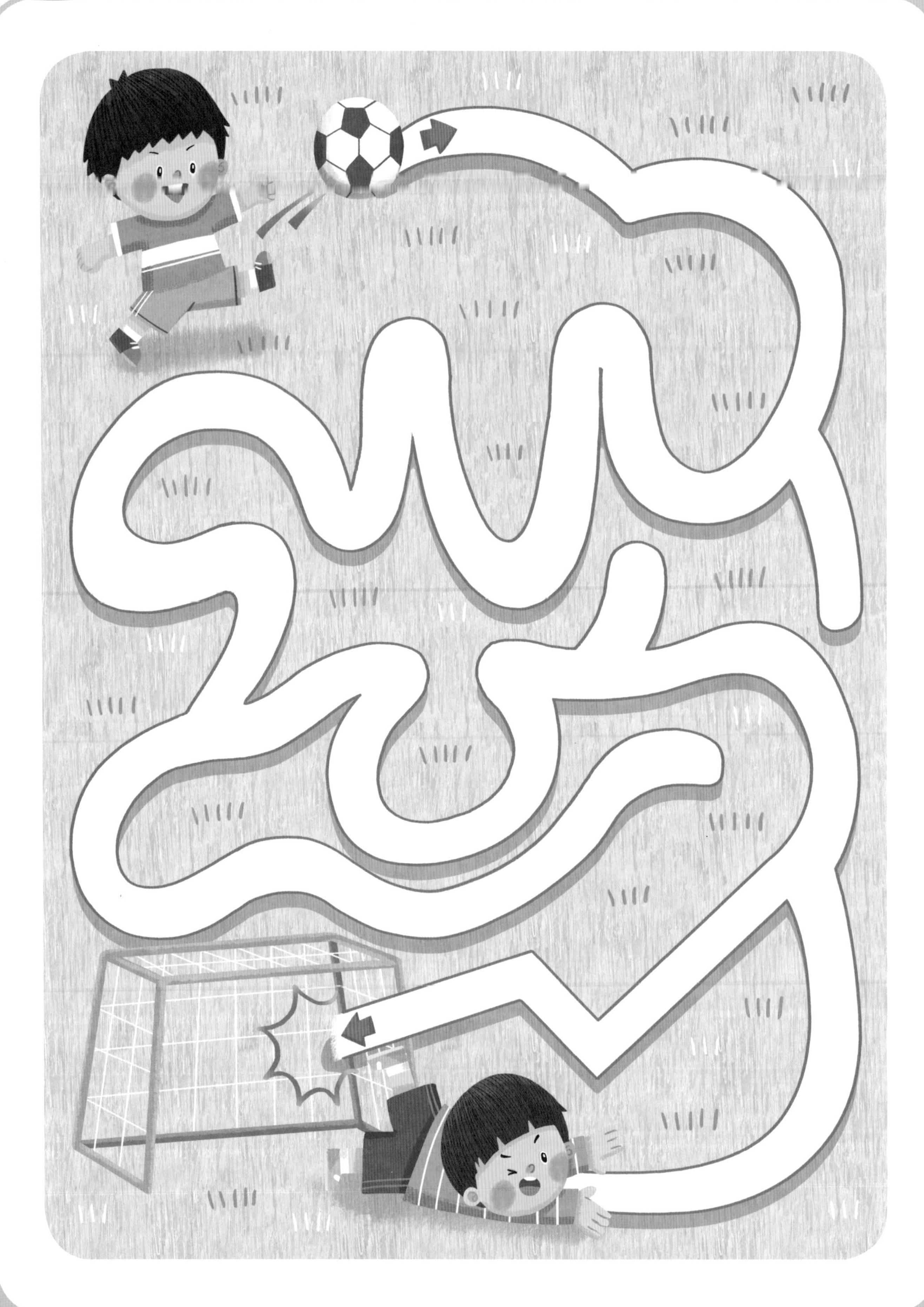

주제 6

세 수의 덧셈과 뺄셈

맛있는 과자를 따라가 보아요!

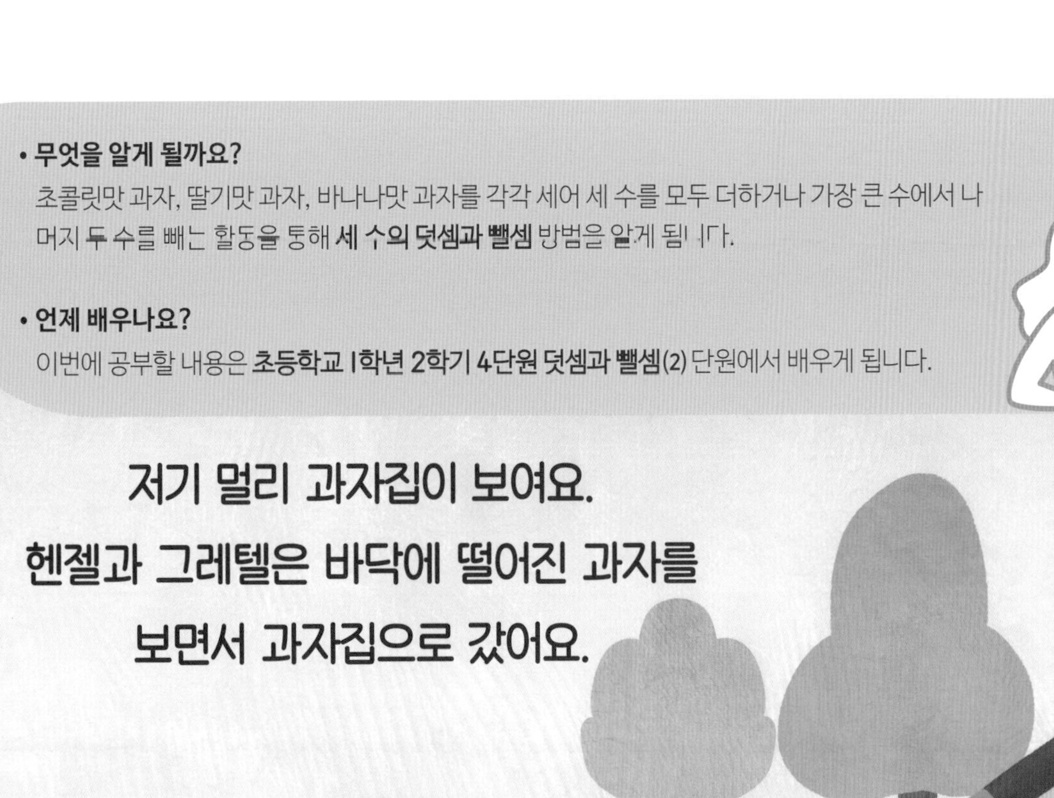

• **무엇을 알게 될까요?**

초콜릿맛 과자, 딸기맛 과자, 바나나맛 과자를 각각 세어 세 수를 모두 더하거나 가장 큰 수에서 나머지 두 수를 빼는 활동을 통해 **세 수의 덧셈과 뺄셈** 방법을 알게 됩니다.

• **언제 배우나요?**

이번에 공부할 내용은 **초등학교 1학년 2학기 4단원 덧셈과 뺄셈(2)** 단원에서 배우게 됩니다.

저기 멀리 과자집이 보여요.
헨젤과 그레텔은 바닥에 떨어진 과자를
보면서 과자집으로 갔어요.

세 수의 덧셈

바닥에 떨어진 과자는 모두 몇 개일까요?

초콜릿맛 과자 5개와 딸기맛 과자 3개를 먼저 더한 다음
바나나맛 과자 1개를 더하면 모두 9개가 돼요.

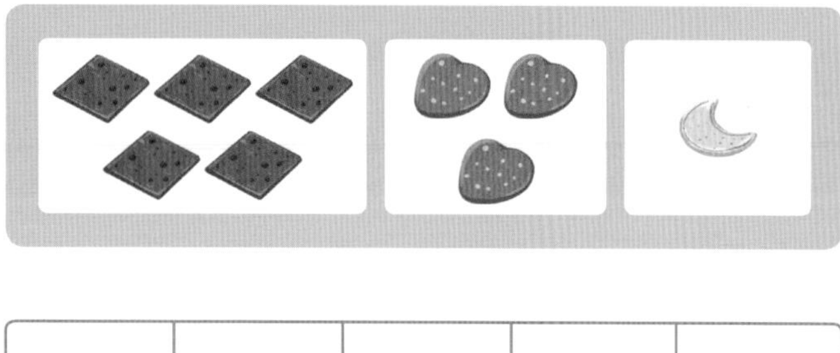

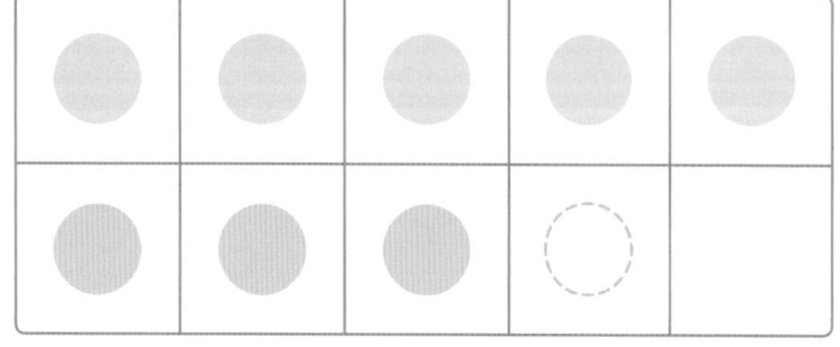

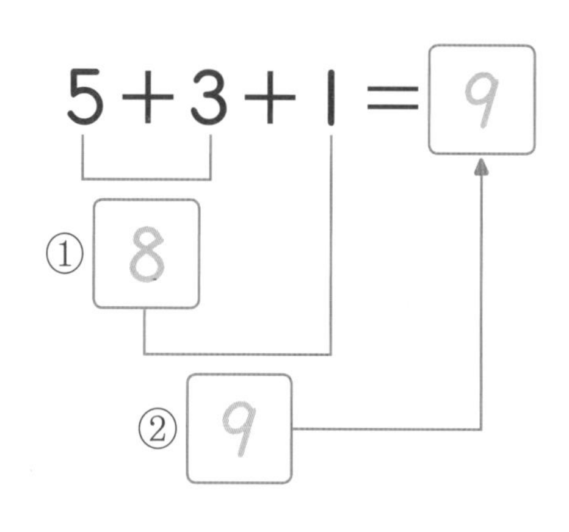

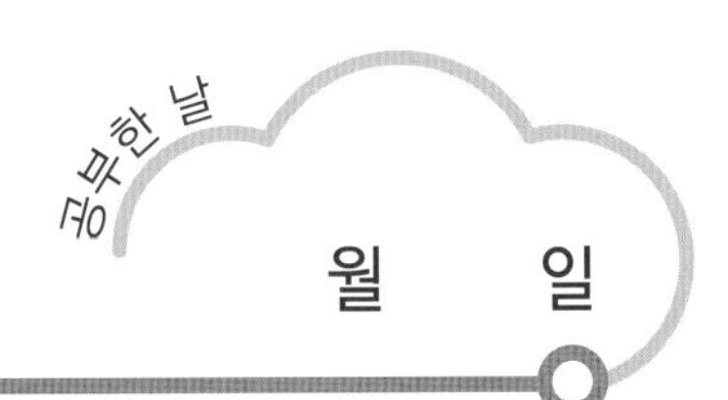

◯를 그려서 세 수의 덧셈을 하세요.

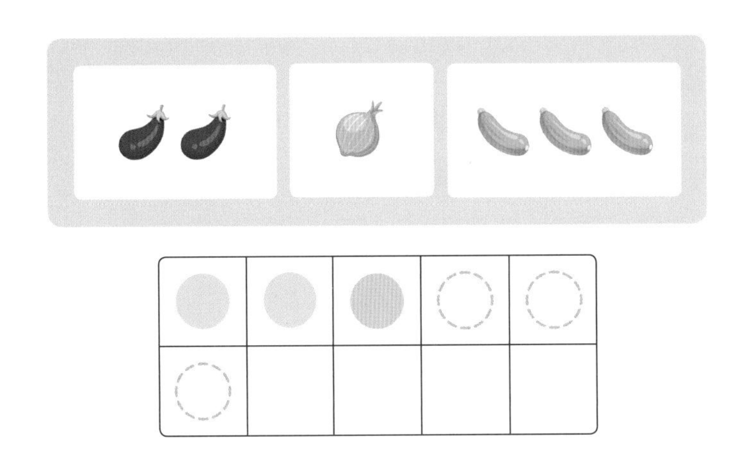

$2+1+3=6$

① 3

② 6

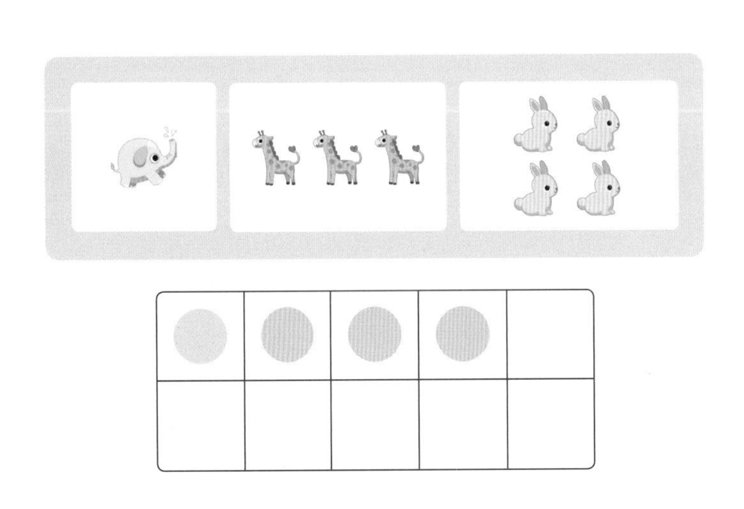

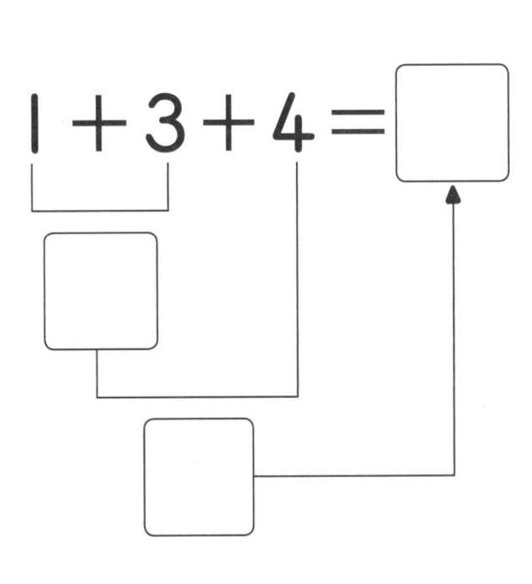

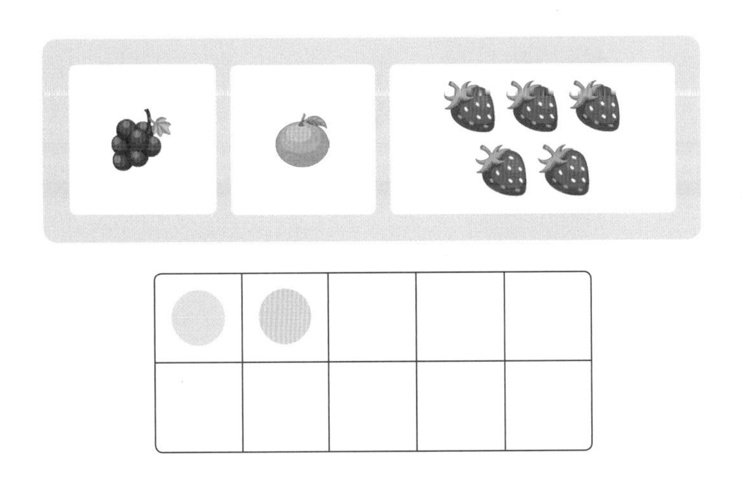

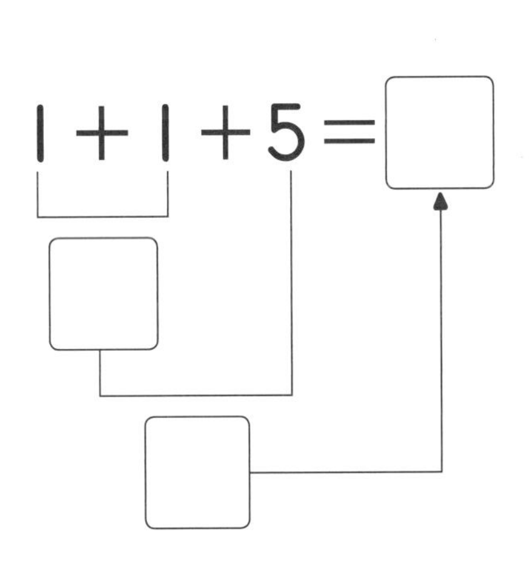

6일 세 수의 덧셈

그림을 보고 세 수의 덧셈을 하세요.

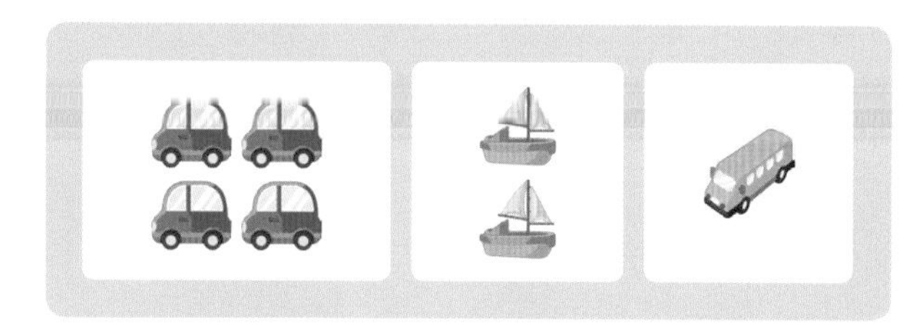

$4+2+1=$ ② 7

① 6

$2+3+3=\square$

$\square$

$3+2+4=\square$

$\square$

$1+4+1=\square$

$\square$

$2+2+2=\square$

$\square$

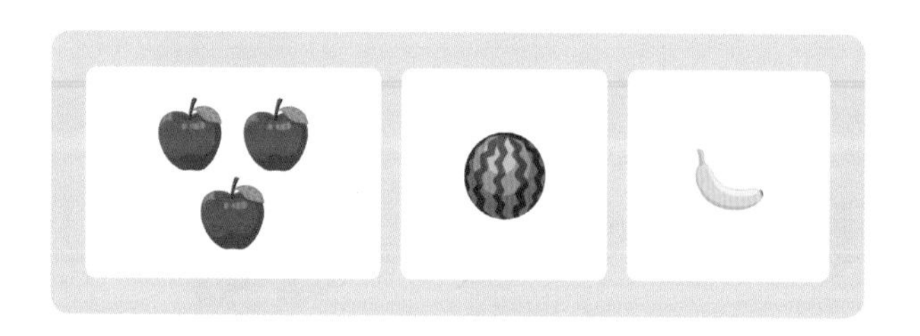

$3+1+1=\square$

$\square$

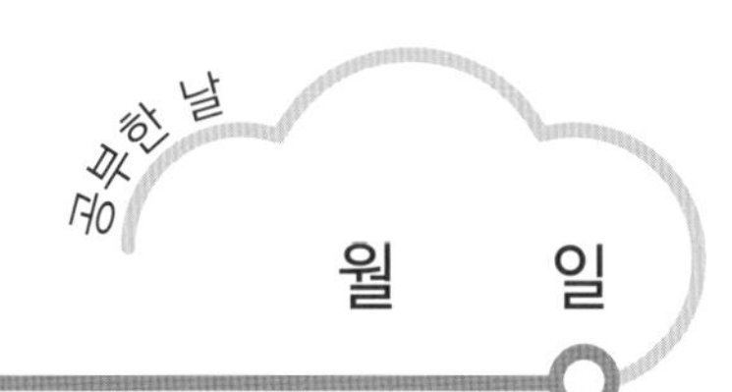

정답 108쪽

세 수의 덧셈을 하세요.

$2+3+2=$ 7 | $1+1+6=$ ☐
$6+2+1=$ ☐ | $3+1+3=$ ☐
$1+2+2=$ ☐ | $3+3+3=$ ☐
$5+1+2=$ ☐ | $4+4+1=$ ☐

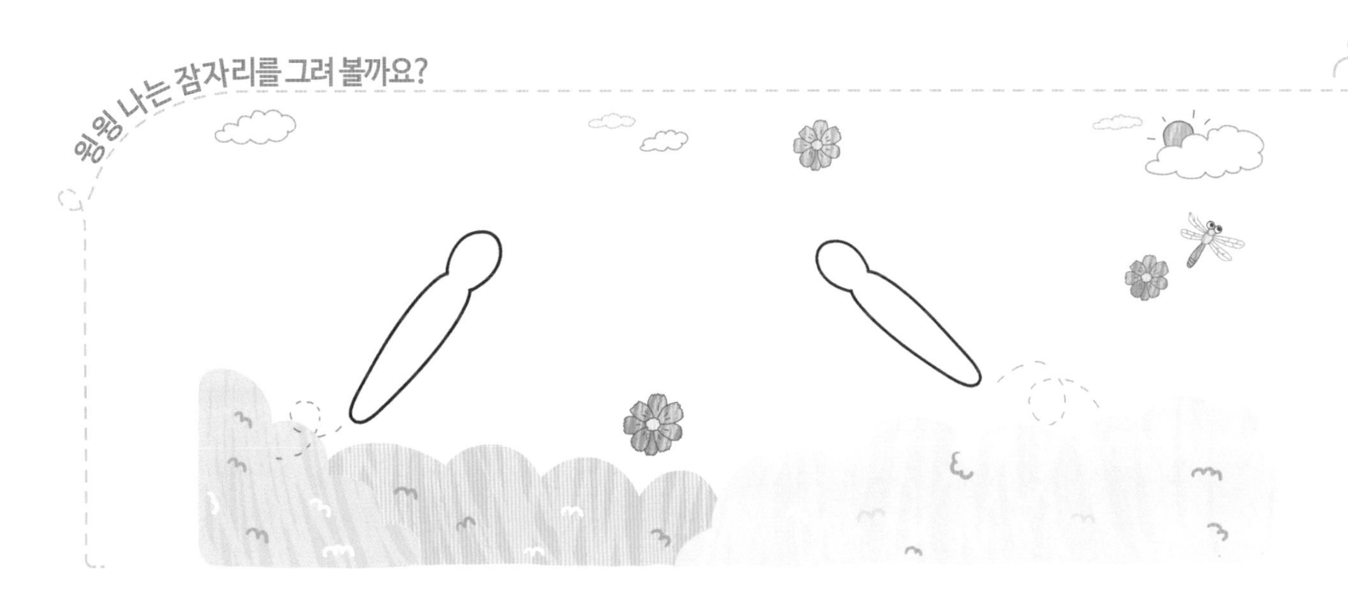

세 수의 뺄셈

남은 사탕은 몇 개일까요?

사탕 9개에서 누나에게 준 사탕 3개를 뺀 다음
동생에게 준 사탕 2개를 빼면 남은 사탕은 4개예요.

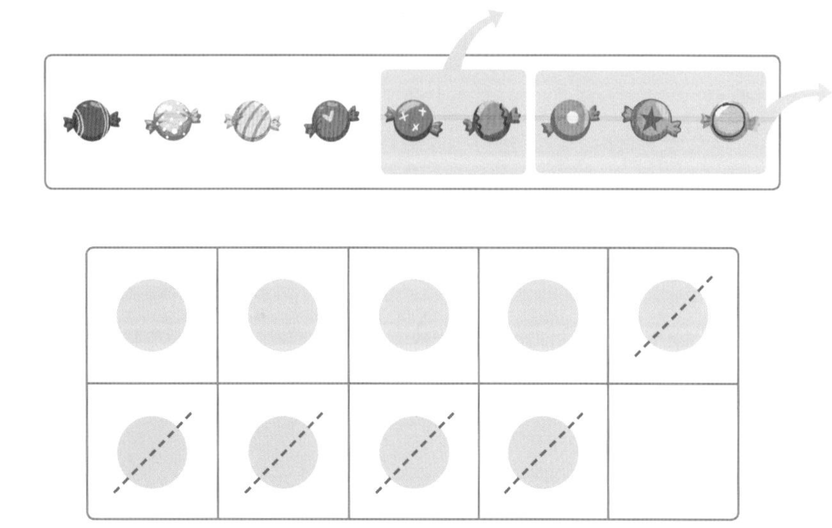

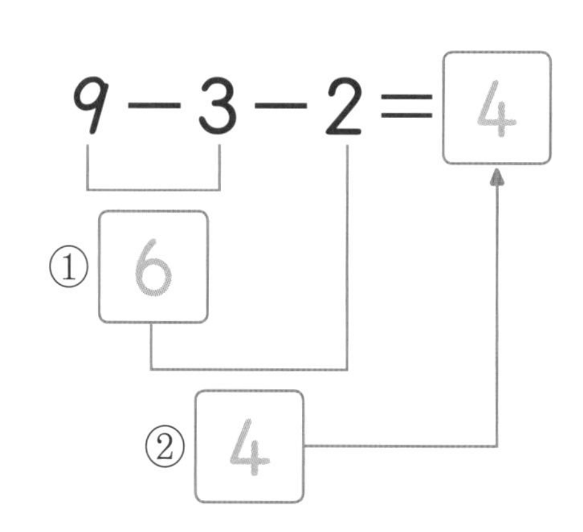

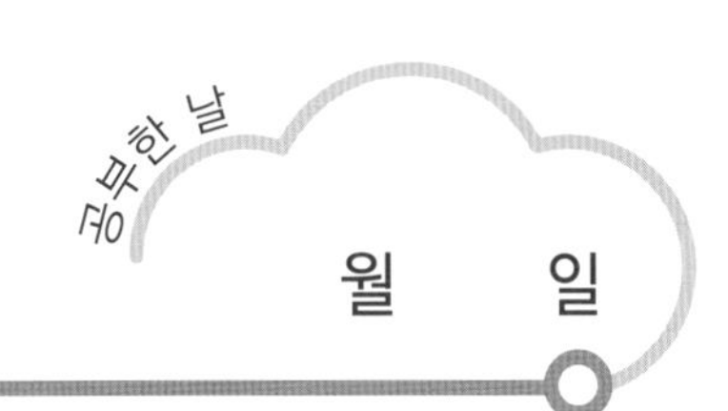

덜어내는 수만큼 ╱로 지우고 세 수의 뺄셈을 하세요.

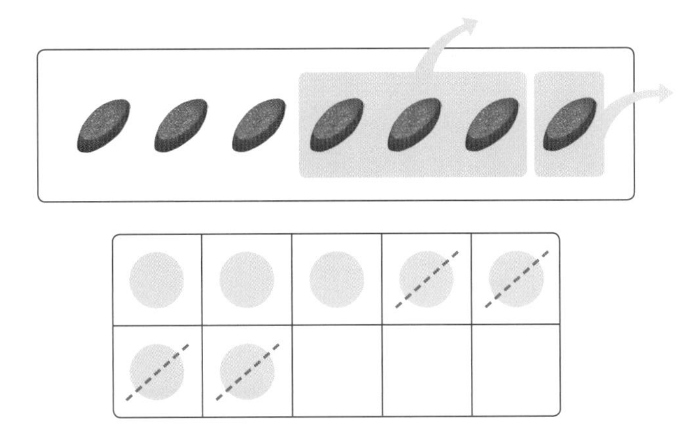

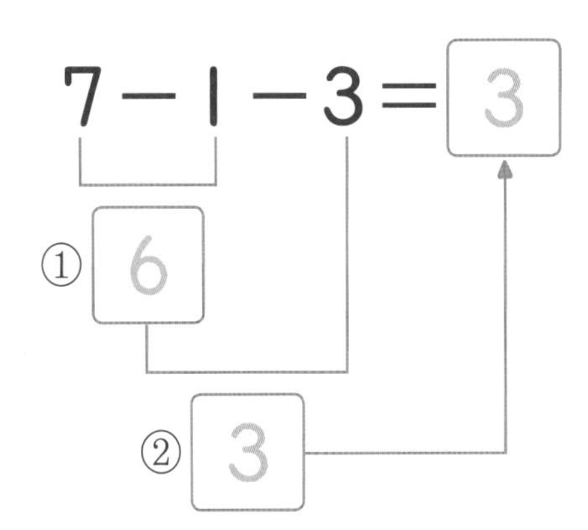

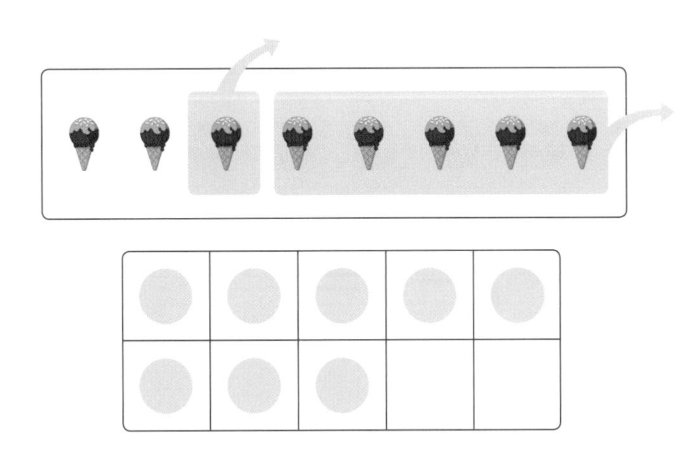

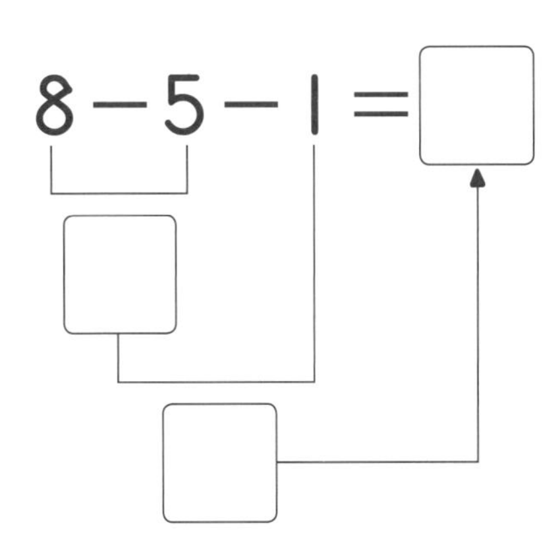

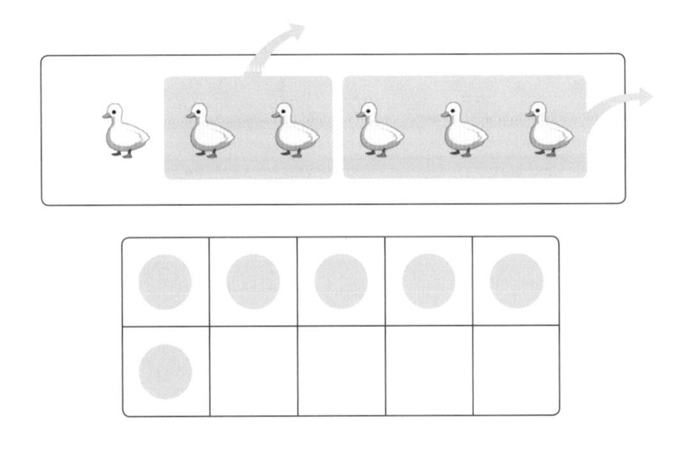

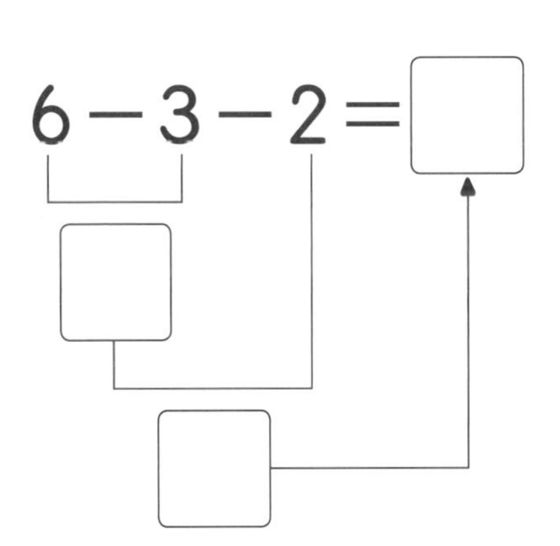

7일

세 수의 뺄셈

그림을 보고 세 수의 뺄셈을 하세요.

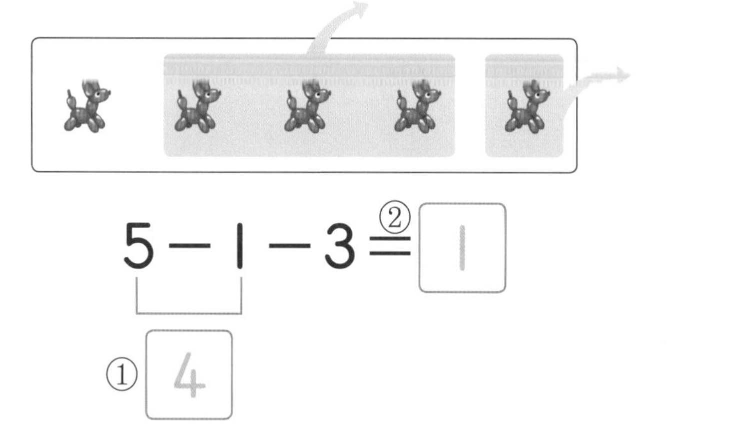

$5-1-3=$ ② 1

① 4

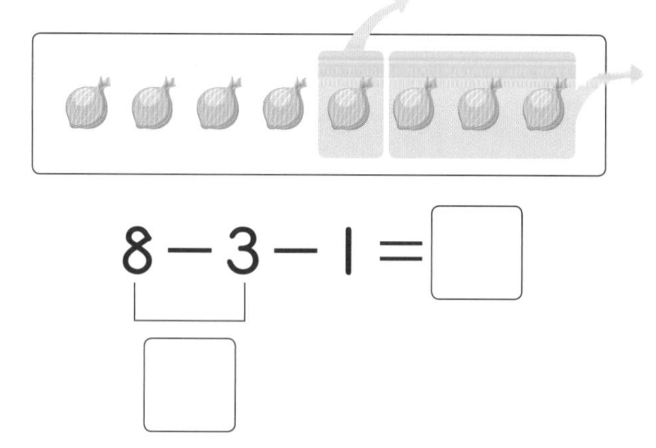

$8-3-1=\square$

$\square$

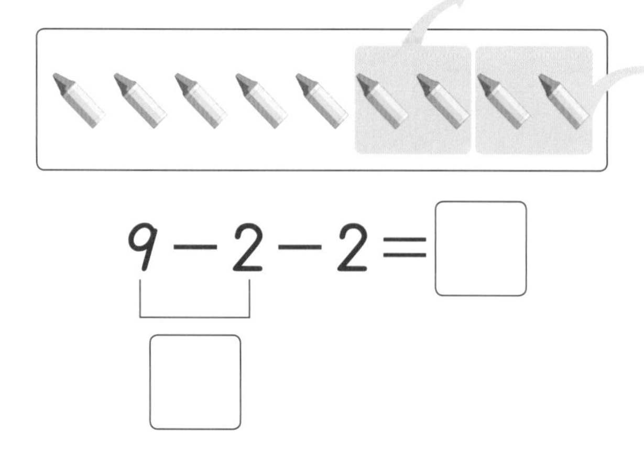

$9-2-2=\square$

$\square$

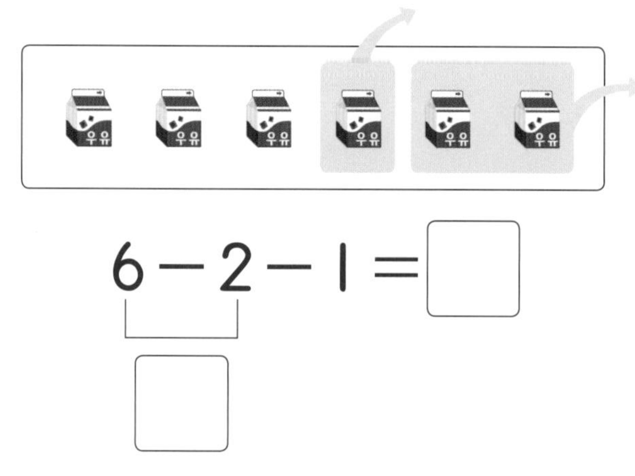

$6-2-1=\square$

$\square$

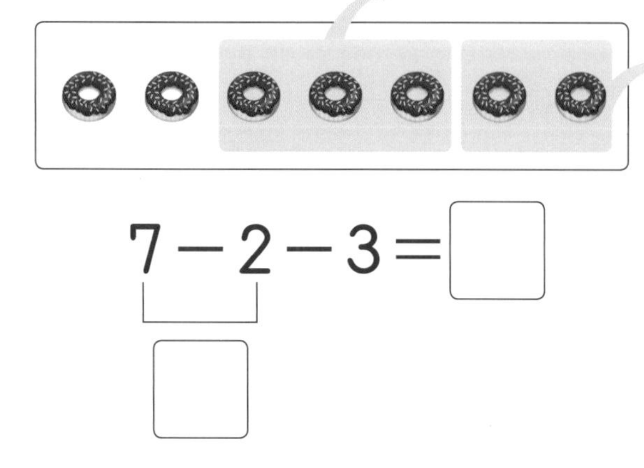

$7-2-3=\square$

$\square$

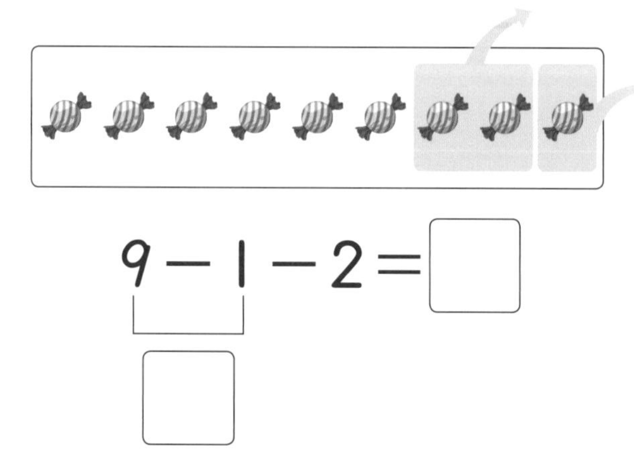

$9-1-2=\square$

$\square$

정답 109쪽

세 수의 뺄셈을 하세요.

$7-4-2=$ 1

$6-2-2=$ □

$8-1-2=$ □

$9-4-1=$ □

$7-2-1=$ □

$8-2-4=$ □

$7-3-3=$ □

$9-1-5-$ □

$6-3-1=$ □

8일 10을 이용한 세 수의 덧셈

칭찬 스티커는 모두 몇 개일까요?

칭찬 스티커 8개에 2개를 먼저 더하면 10개,
10개에 3개를 더하면 모두 13개가 돼요.

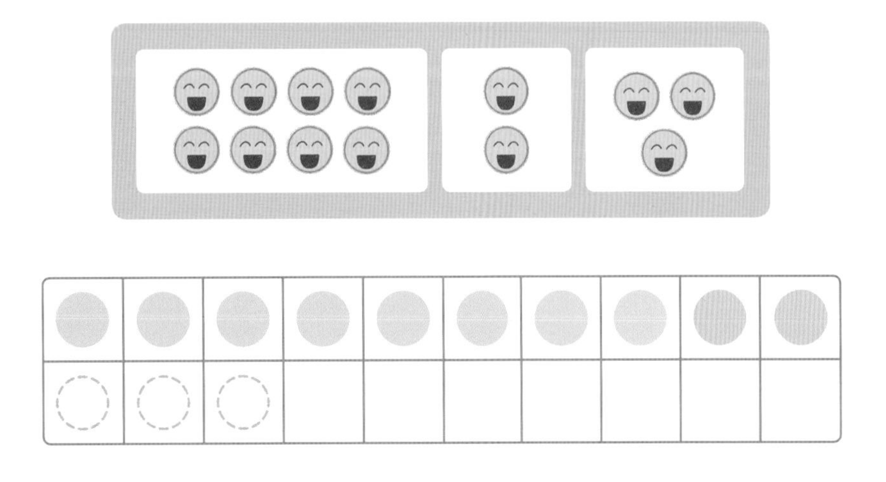

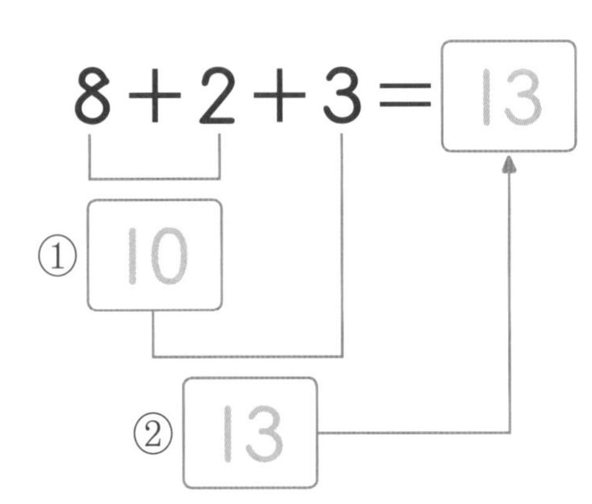

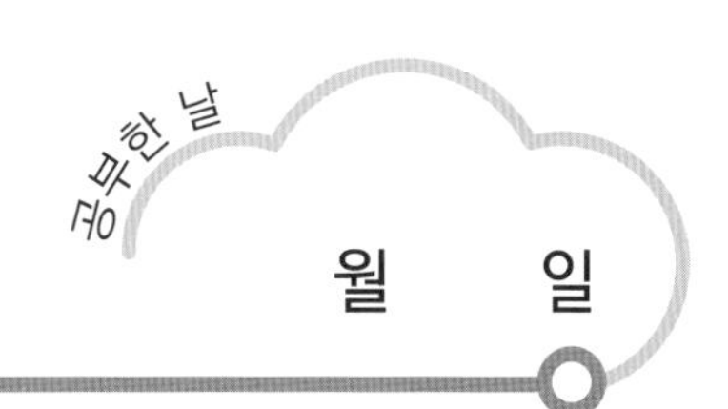

정답 109쪽

○를 그려서 10을 이용한 세 수의 덧셈을 하세요.

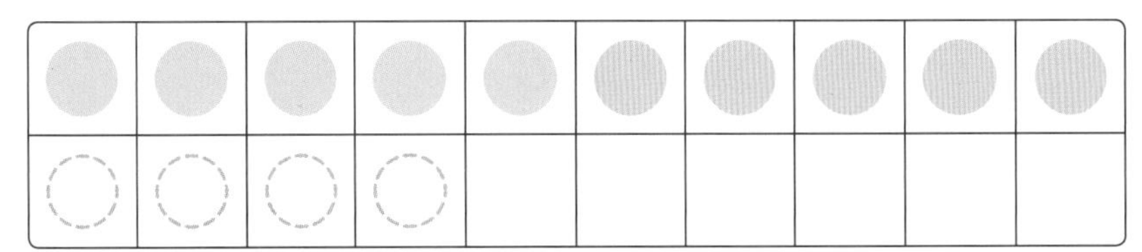

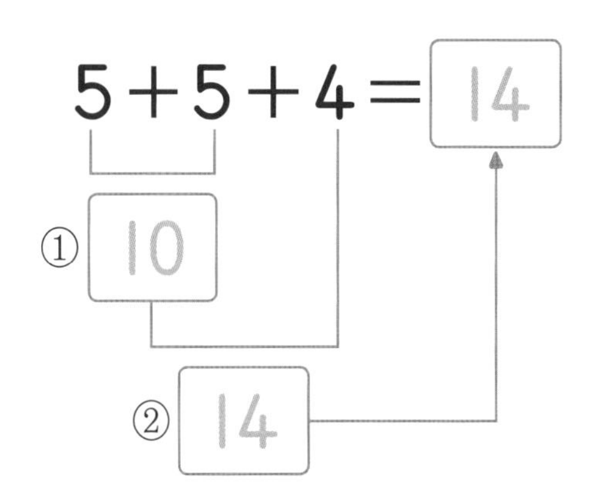

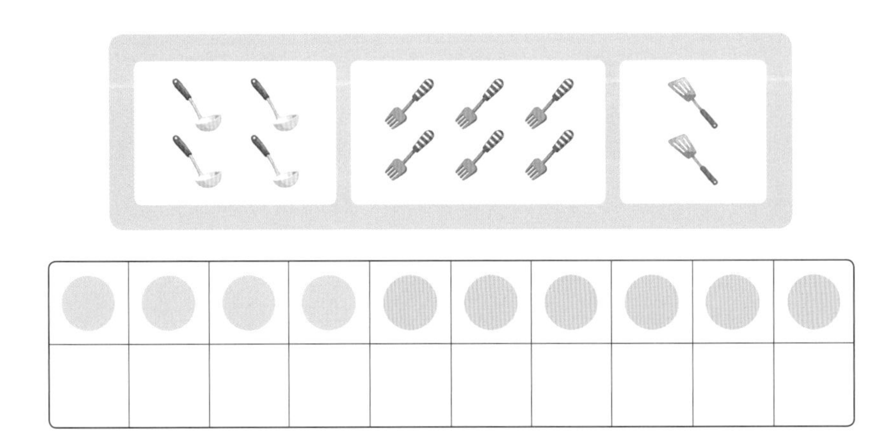

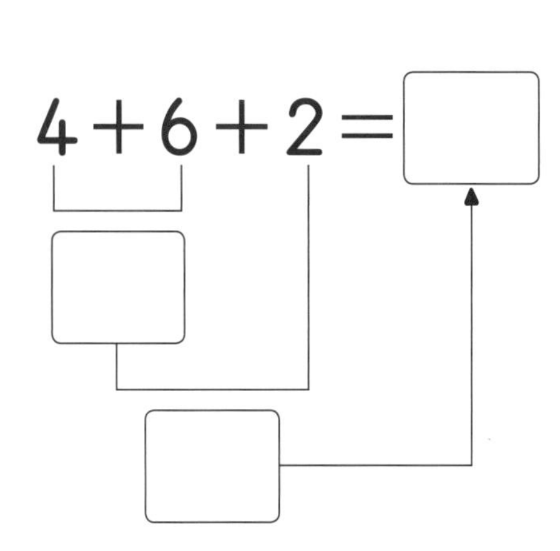

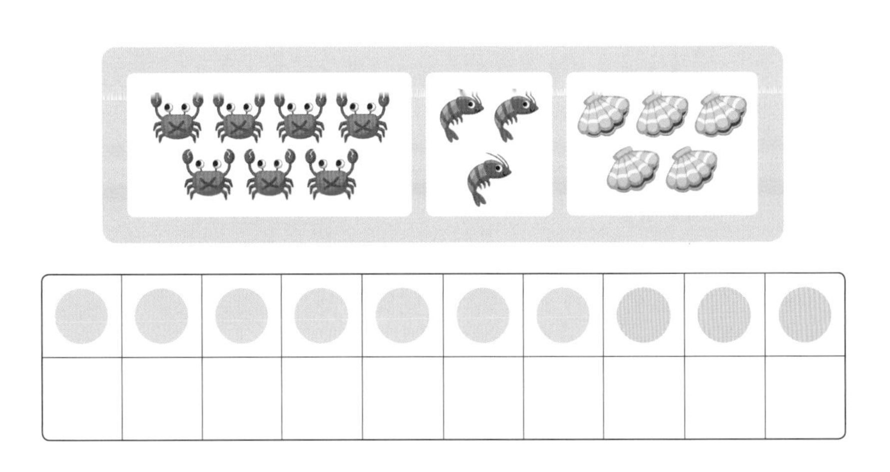

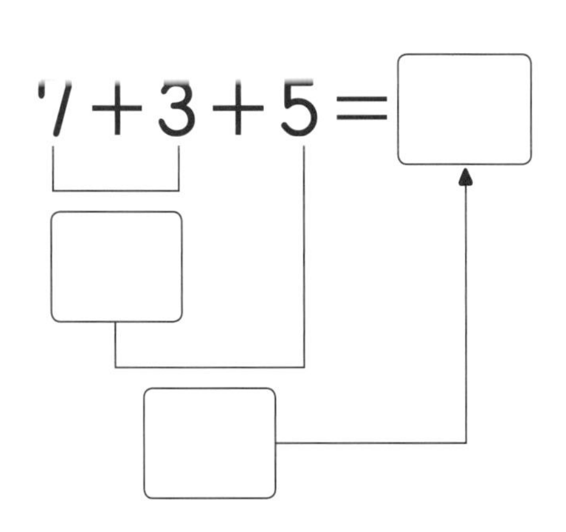

8일 10을 이용한 세 수의 덧셈

그림을 보고 10을 이용한 세 수의 덧셈을 하세요.

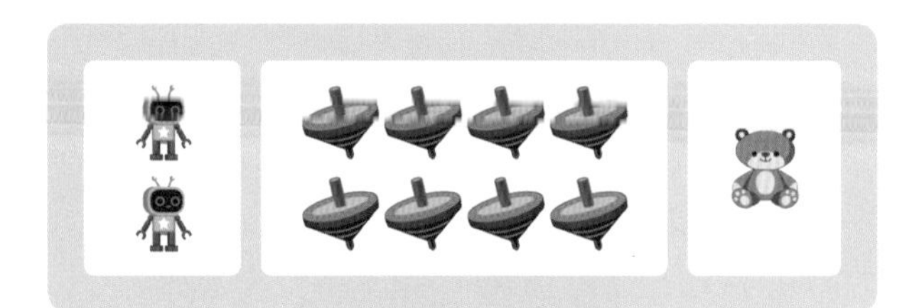

$2+8+1 \overset{②}{=}$ [11]

① [10]

$6+1+9=$ [ ]

[ ]

$5+6+4=$ [ ]

[ ]

$3+7+4=$ [ ]

[ ]

$5+5+2=$ [ ]

[ ]

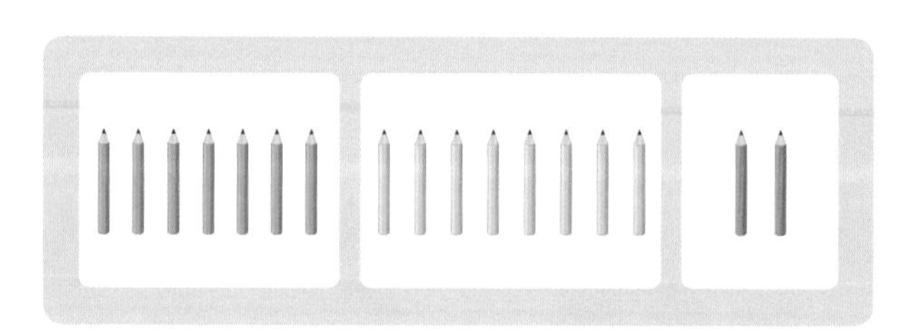

$7+8+2=$ [ ]

[ ]

정답 109쪽

10을 이용한 세 수의 덧셈을 하세요.

$1+9+2=$ 12

$7+2+8=$ ☐

$3+5+5=$ ☐

$4+6+8=$ ☐

$8+2+6=$ ☐

$9+7+3=$ ☐

$9+1+4=$ ☐

$5+6+4=$ ☐

$3+7+1=$ ☐

10을 이용한 세 수의 뺄셈

개념 활동 강의

남은 참새는 몇 마리일까요?

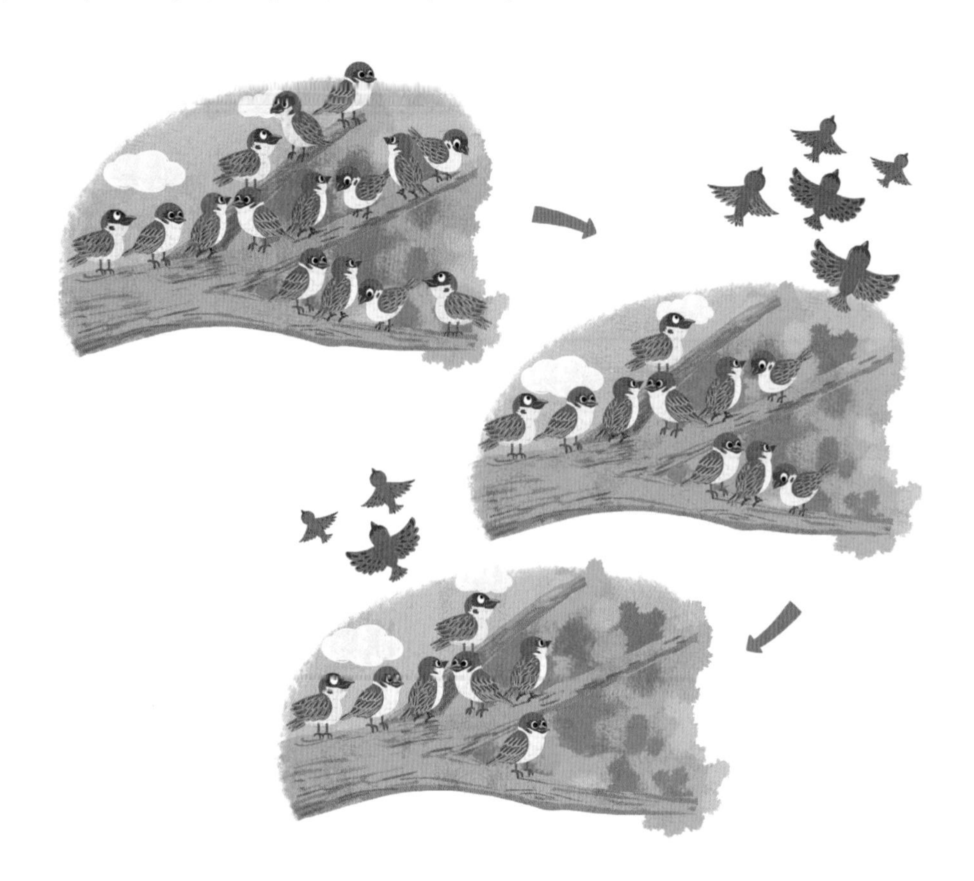

참새 15마리에서 5마리가 먼저 날아가서 10마리가 남았고,
10마리에서 3마리가 날아가서 7마리가 남았어요.

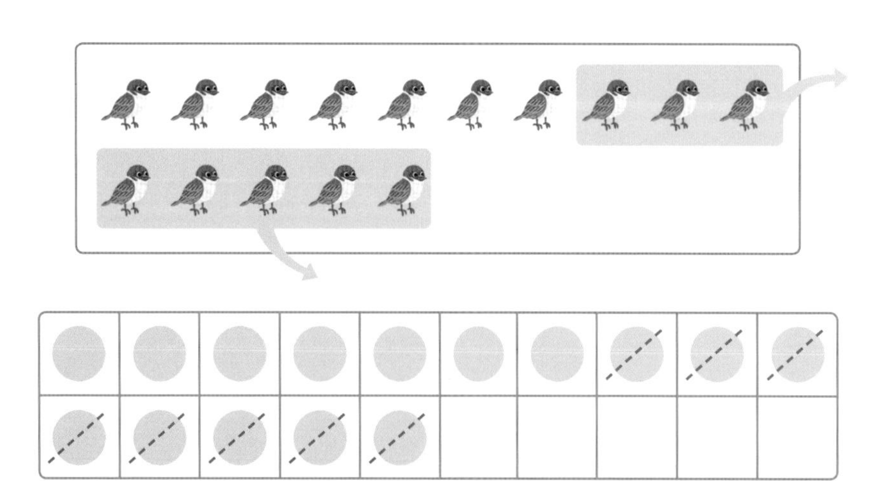

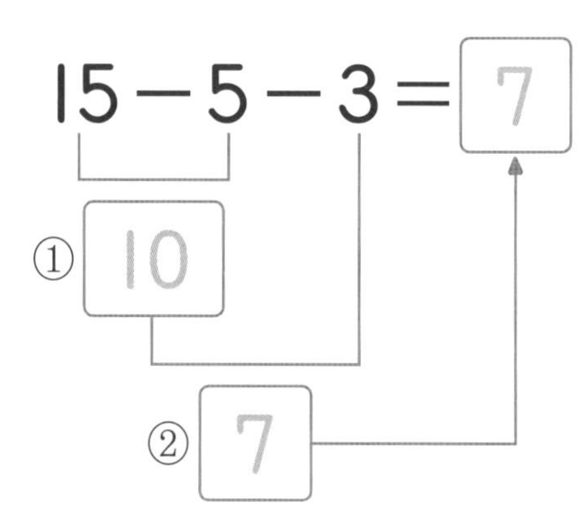

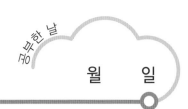

덜어내는 수만큼 ╱로 지우고 10을 이용한 세 수의 뺄셈을 하세요.

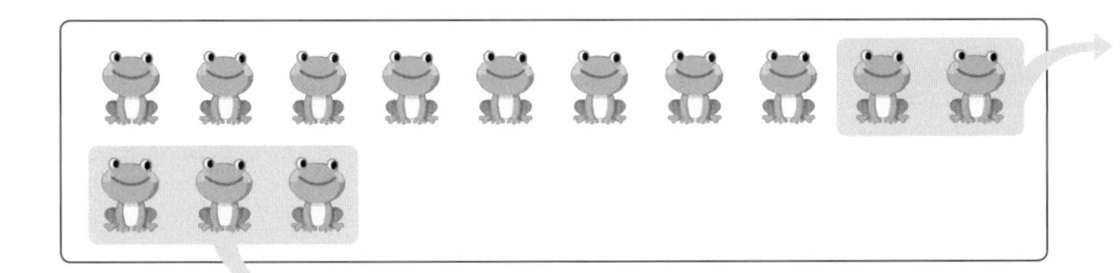

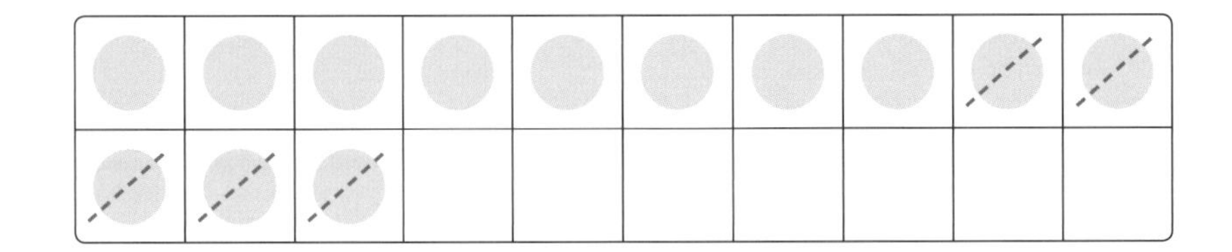

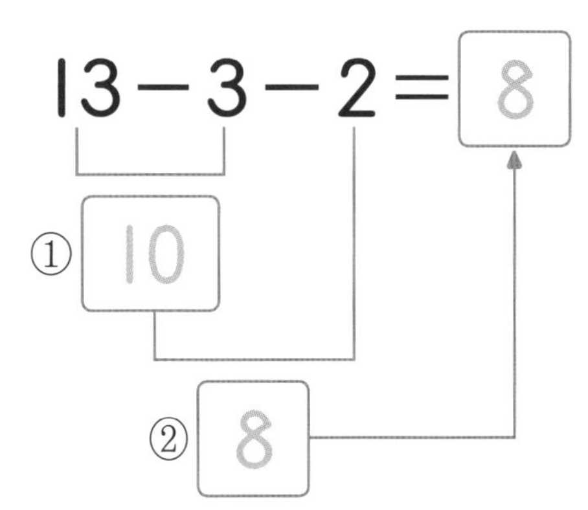

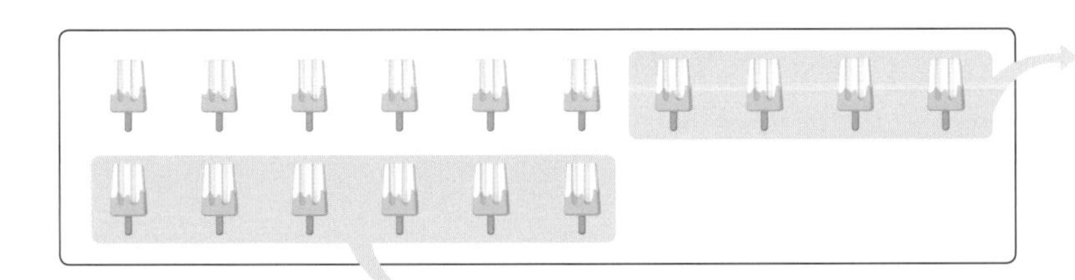

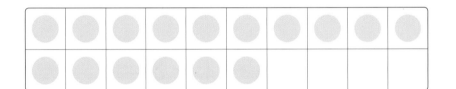

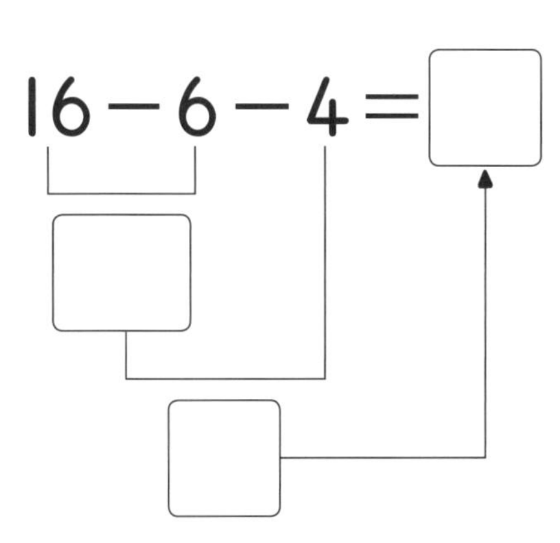

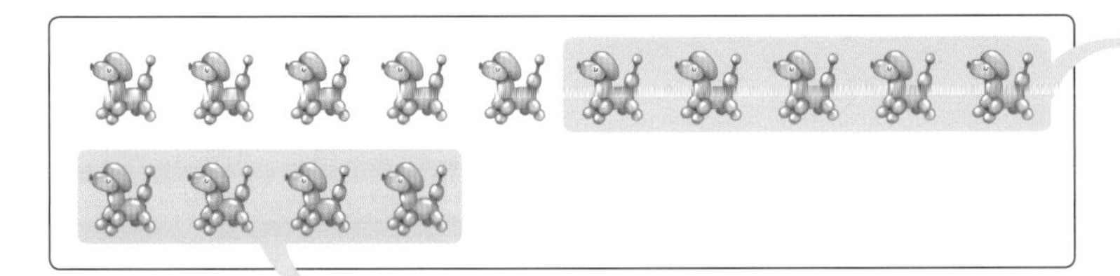

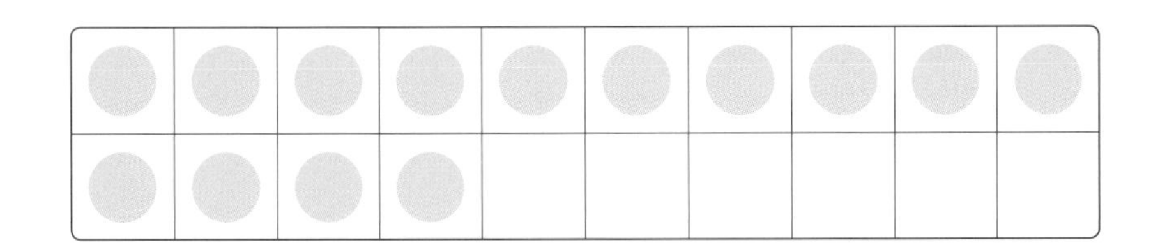

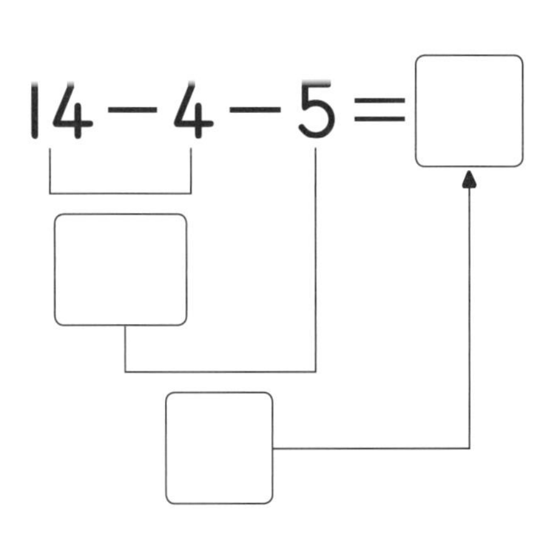

9일 10을 이용한 세 수의 뺄셈

그림을 보고 10을 이용한 세 수의 뺄셈을 하세요.

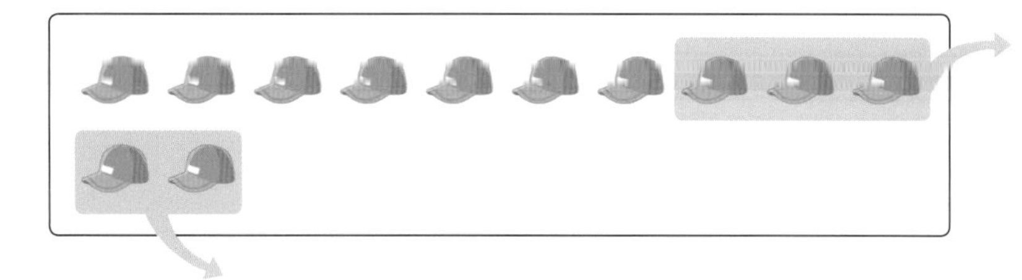

12　2　3 = ② 7

① 10

$17-7-6=\square$

$\square$

$11-1-8=\square$

$\square$

$18-8-7=\square$

$\square$

10을 이용한 세 수의 뺄셈을 하세요.

$15-5-1=$ 9

$19-9-2=$ □

$13-3-5=$ □

$14-4-4=$ □

$17-7-3=$ □

$16-6-8=$ □

$11-1-9=$ □

$18-8-6=$ □

동동 떠다니는 배를 그려 볼까요?

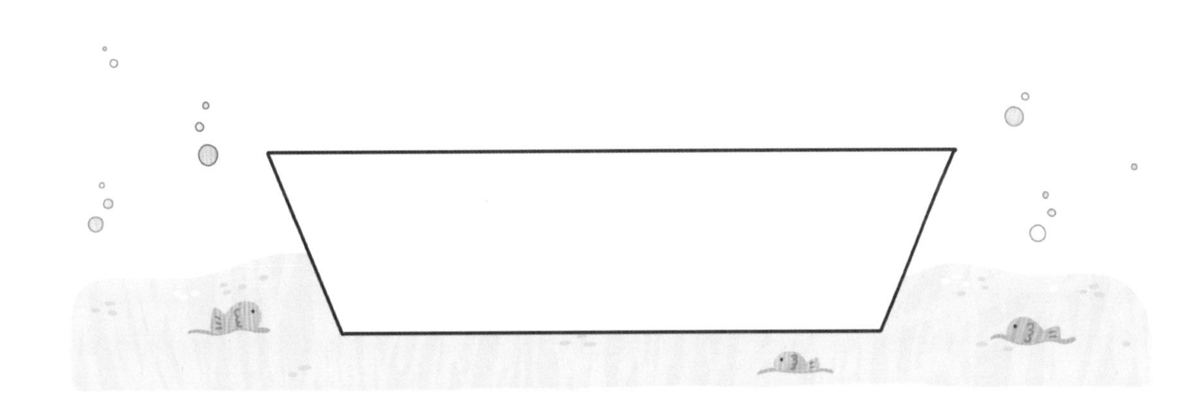

10일 10을 이용한 세 수의 덧셈과 뺄셈

그림을 보고 10을 이용한 세 수의 덧셈과 뺄셈을 하세요.

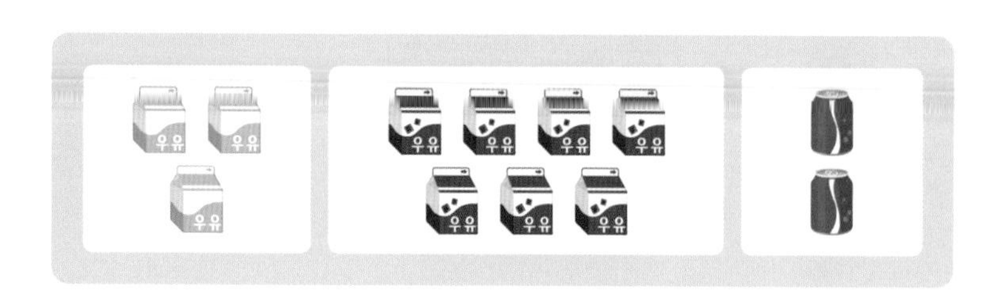

$3+7+2=\square$

$\underbrace{3+7}_{\square}$

$12-2-4=\square$

$\underbrace{12-2}_{\square}$

$5+9+1=\square$

$\underbrace{9+1}_{\square}$

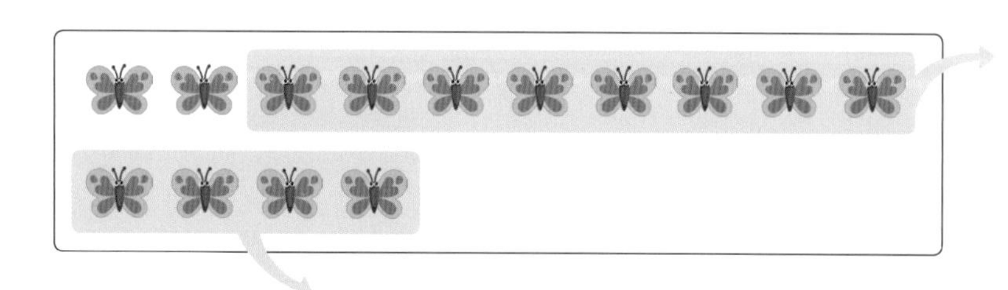

$14-4-8=\square$

$\underbrace{14-4}_{\square}$

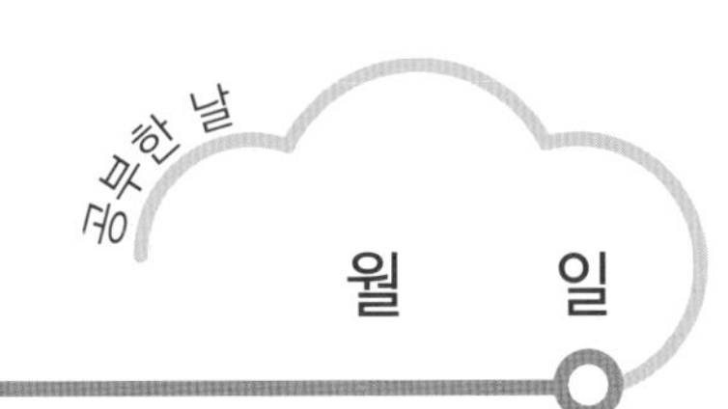

$7+5+5=\square$

$\square$

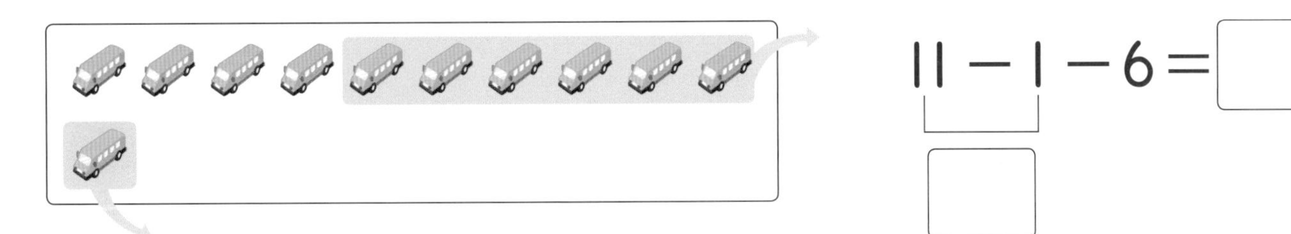

$11-1-6=\square$

$\square$

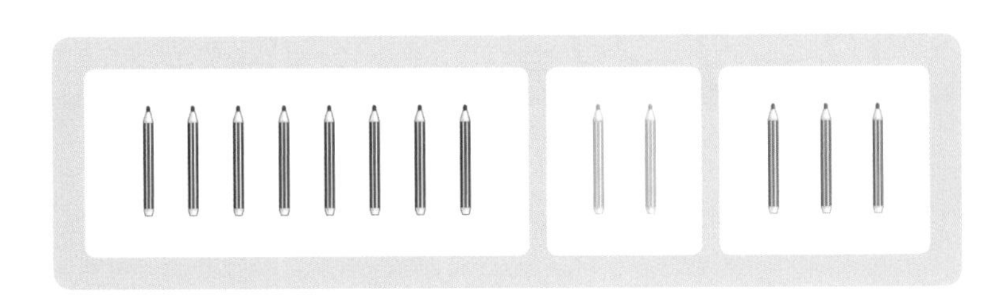

$8+2+3=\square$

$\square$

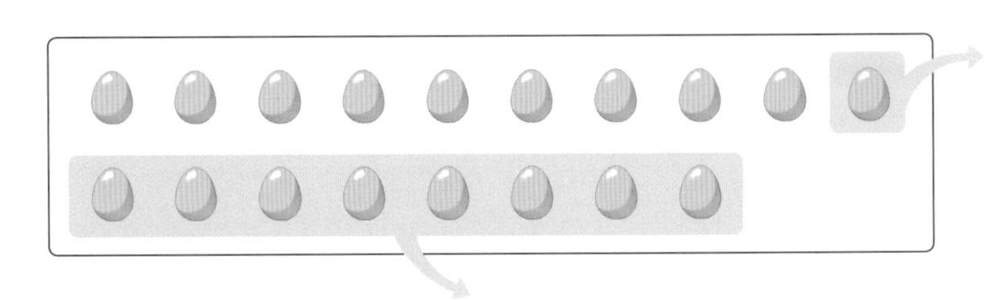

$18-8-1=\square$

$\square$

10일 10을 이용한 세 수의 덧셈과 뺄셈

10을 이용한 세 수의 덧셈과 뺄셈을 하세요.

$7+3+8=\square$

$16-6-5=\square$

$1+2+8=\square$

$13-3-1=\square$

$6+4+4=\square$

$15-5-7=\square$

$1+9+3=\square$

$17-7-9=\square$

$2+5+5=\square$

$12-2-6=\square$

$6+6+4=\square$

$19-9-3=\square$

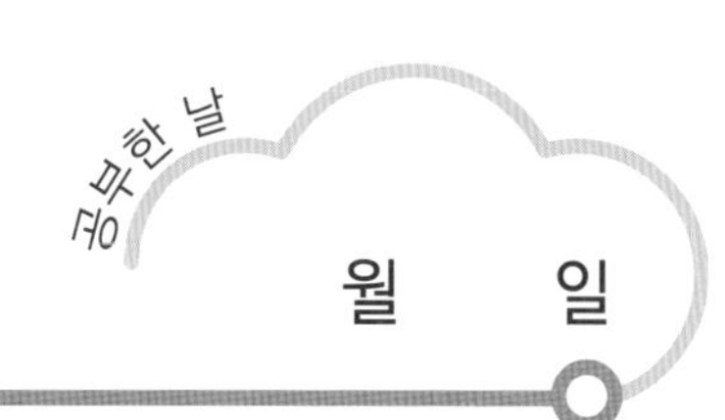

정답 111쪽

$7+1+9=\square$

$11-1-9=\square$

$18-8-4=\square$

$8+2+4=\square$

$3+7+5=\square$

$16-6-7=\square$

$14-4-2=\square$

$3+6+4=\square$

$15-5-3=\square$

번호에 맞게 색칠하세요

주제 7

받아올림이 있는 덧셈

빨간 모자가 양손에 꽃을 들고 있어요!

- **무엇을 알게 될까요?**

  빨간 모자가 오른손에 들고 있는 튤립의 수와 왼손에 들고 있는 장미의 수를 10을 이용하여 더하는 활동을 통해 **받아올림이 있는 덧셈** 방법을 알게 됩니다.

- **언제 배우나요?**

  이번에 공부할 내용은 **초등학교 1학년 2학기 6단원 덧셈과 뺄셈(3)** 단원에서 배우게 됩니다.

예쁜 꽃들이 많이 피어 있네요.
빨간 모자는 할머니께
꽃을 가져다 드리기로 했어요.

11일 그림을 이용한 덧셈

개념 활동 강의

꽃은 모두 몇 송이일까요?

튤립 6송이와 장미 5송이를 더하면 모두 11송이가 돼요.

$6+5=$ 11

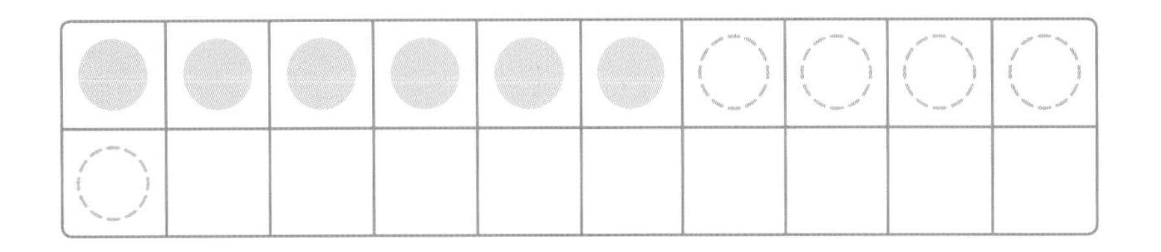

정답 112쪽

○를 그려서 덧셈을 하세요.

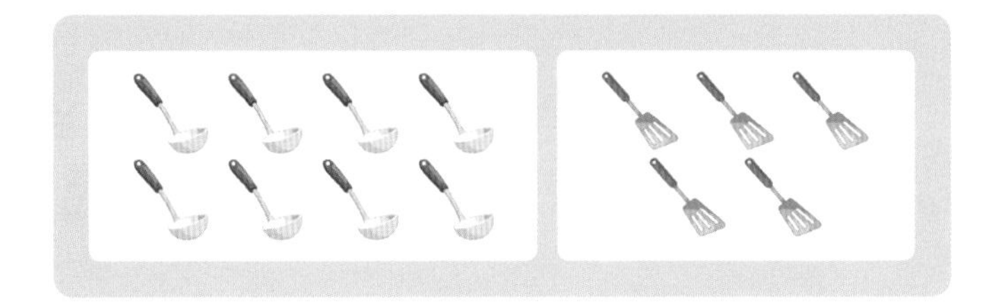

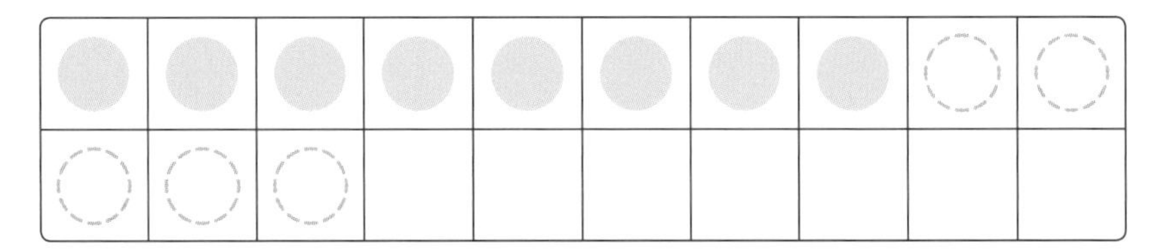

$8+5=$ 13

$9+7=$ □

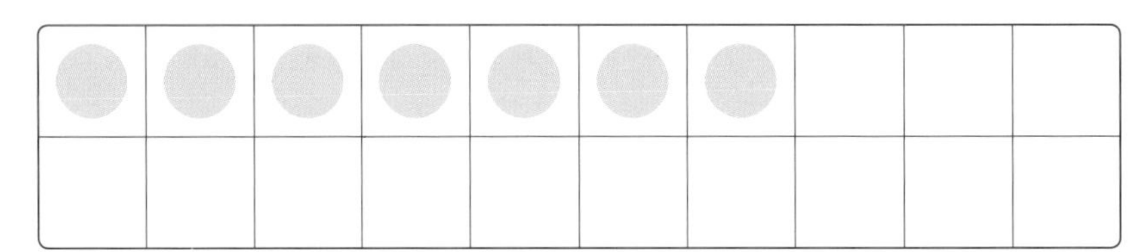

$7+8=$ □

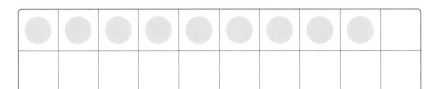

11일 그림을 이용한 덧셈

그림을 보고 덧셈을 하세요.

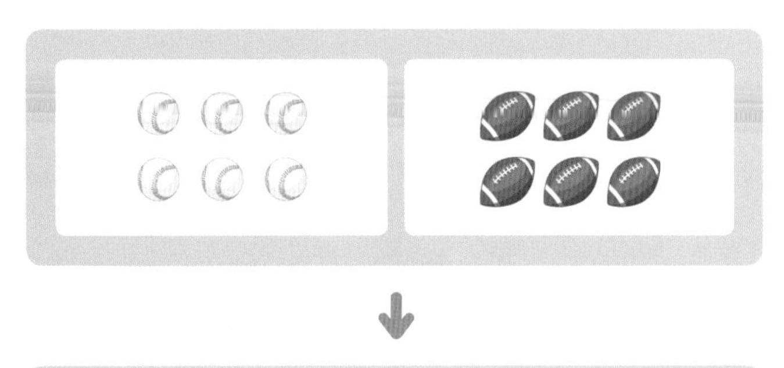

$6+6=$ 12

$5+9=$ □

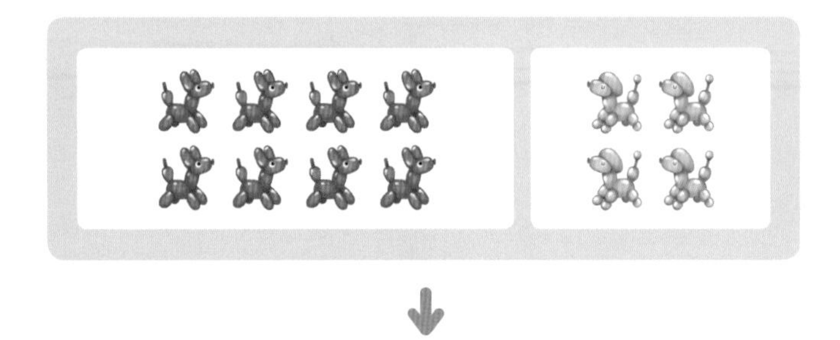

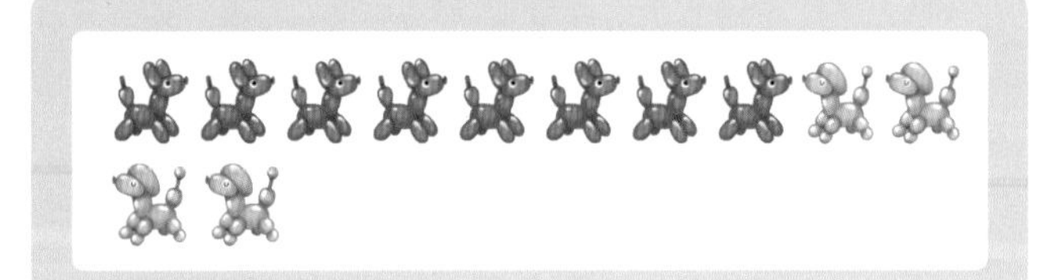

$8+4=$ □

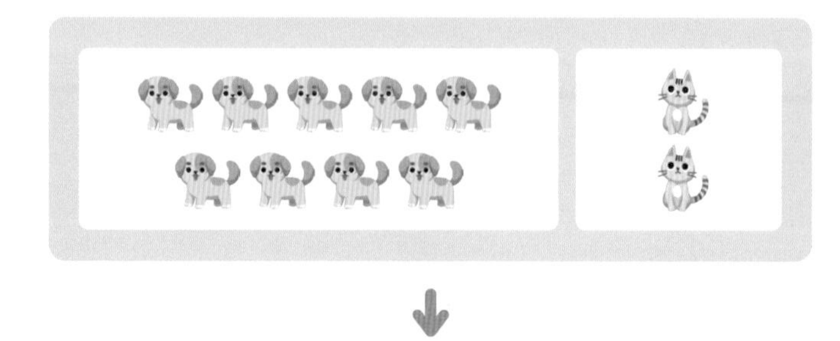

$9+2=$ □

정답 112쪽

그림을 보고 덧셈을 하세요.

$5+8=$ 13

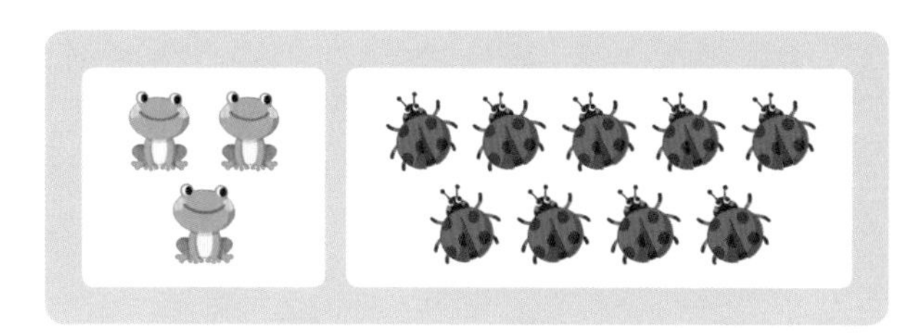

$3+9=$ ☐

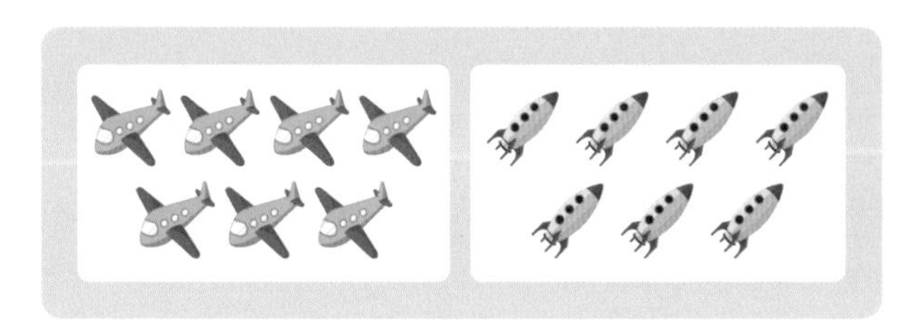

$7+7=$ ☐

$9+6=$ ☐

엉금엉금 거북을 그려 볼까요?

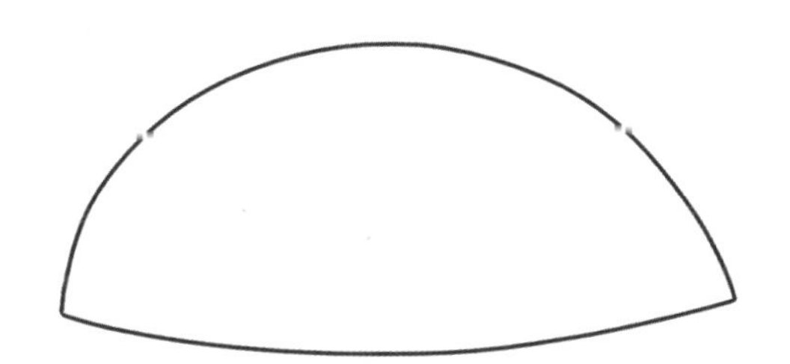

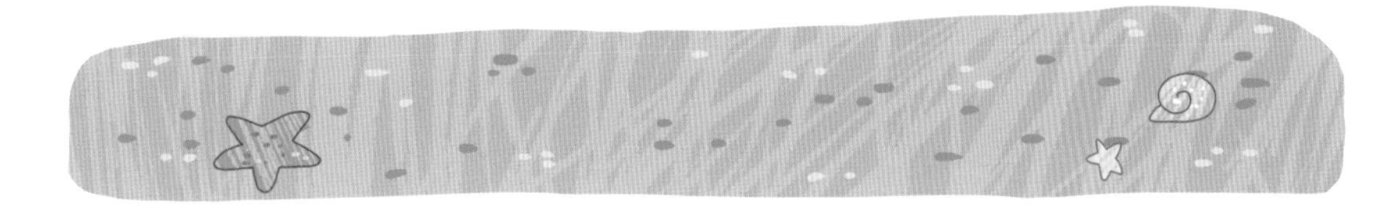

10을 이용한 모으기와 가르기

동그라미 쿠키와 네모 쿠키를 상자에 담아 볼까요?

동그라미 쿠키 4개, 네모 쿠키 8개를 모으면 쿠키는 12개가 돼요.
쿠키 12개를 10칸짜리 상자에 담으면 상자를 채우고 2개가 남아요.

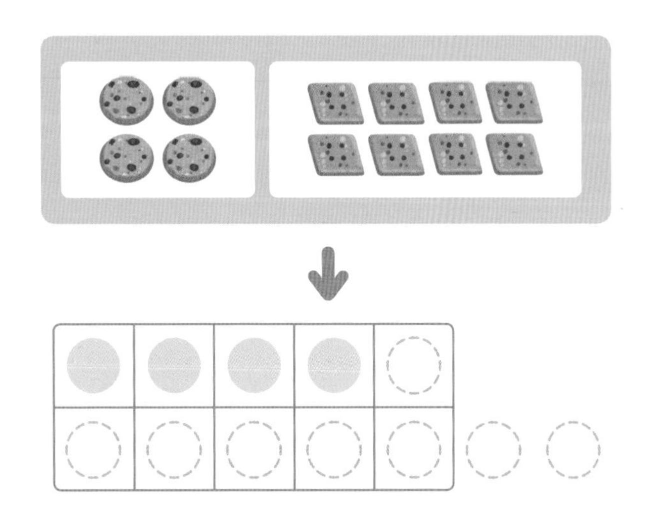

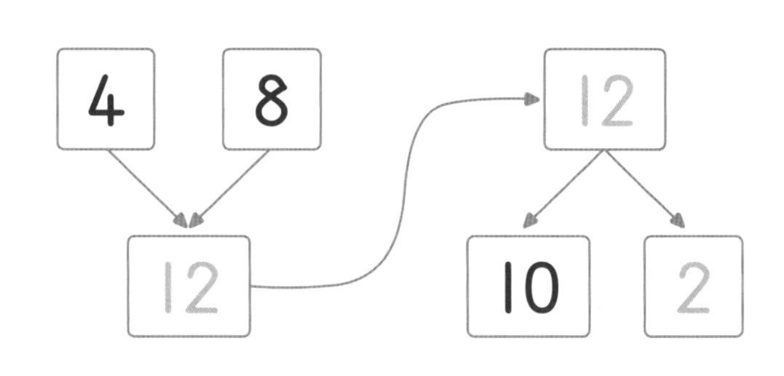

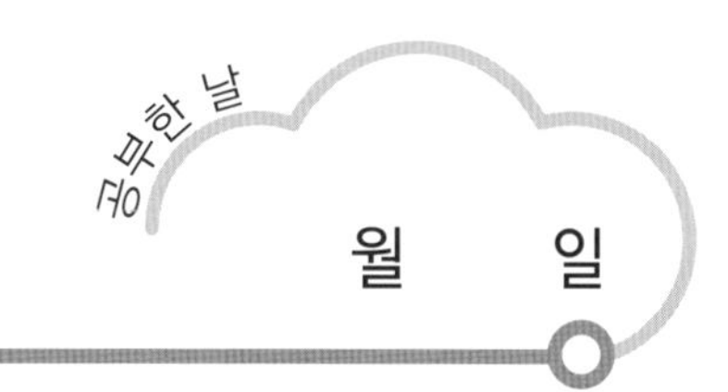

○를 그려서 10을 이용한 모으기와 가르기를 하세요.

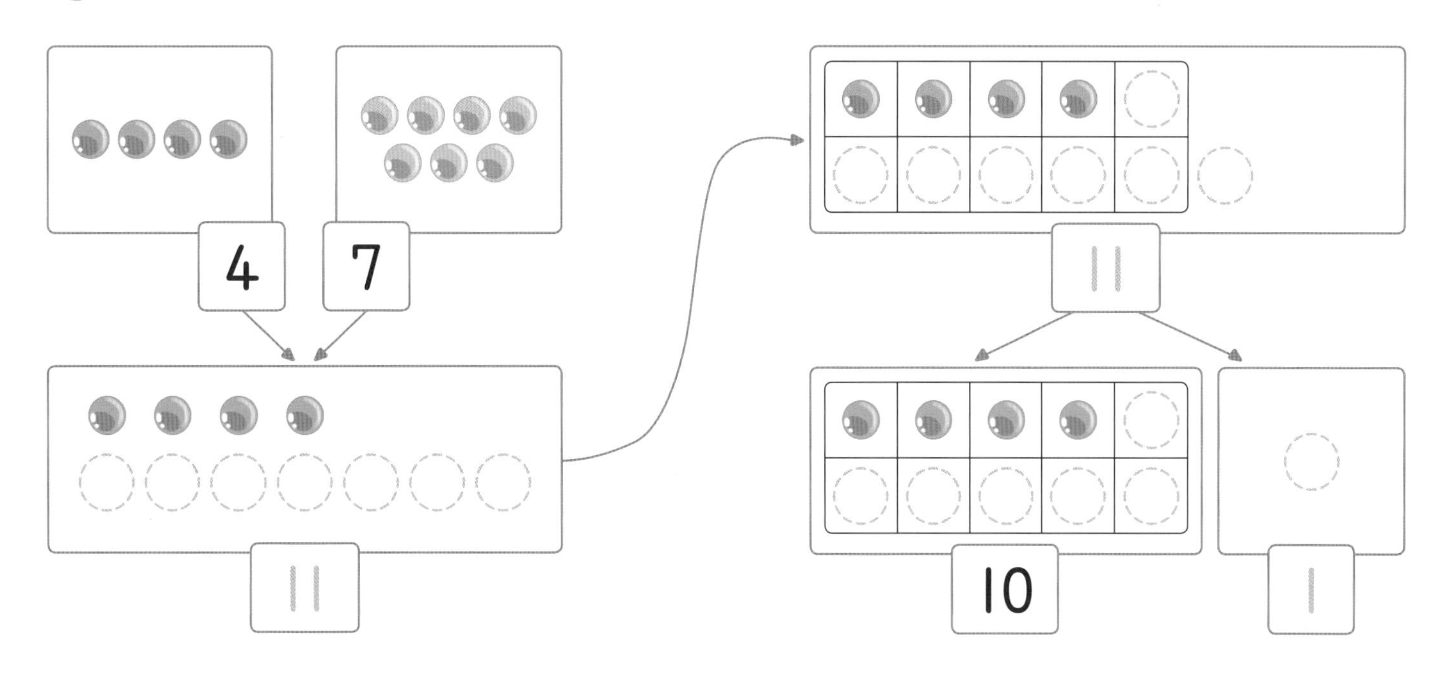

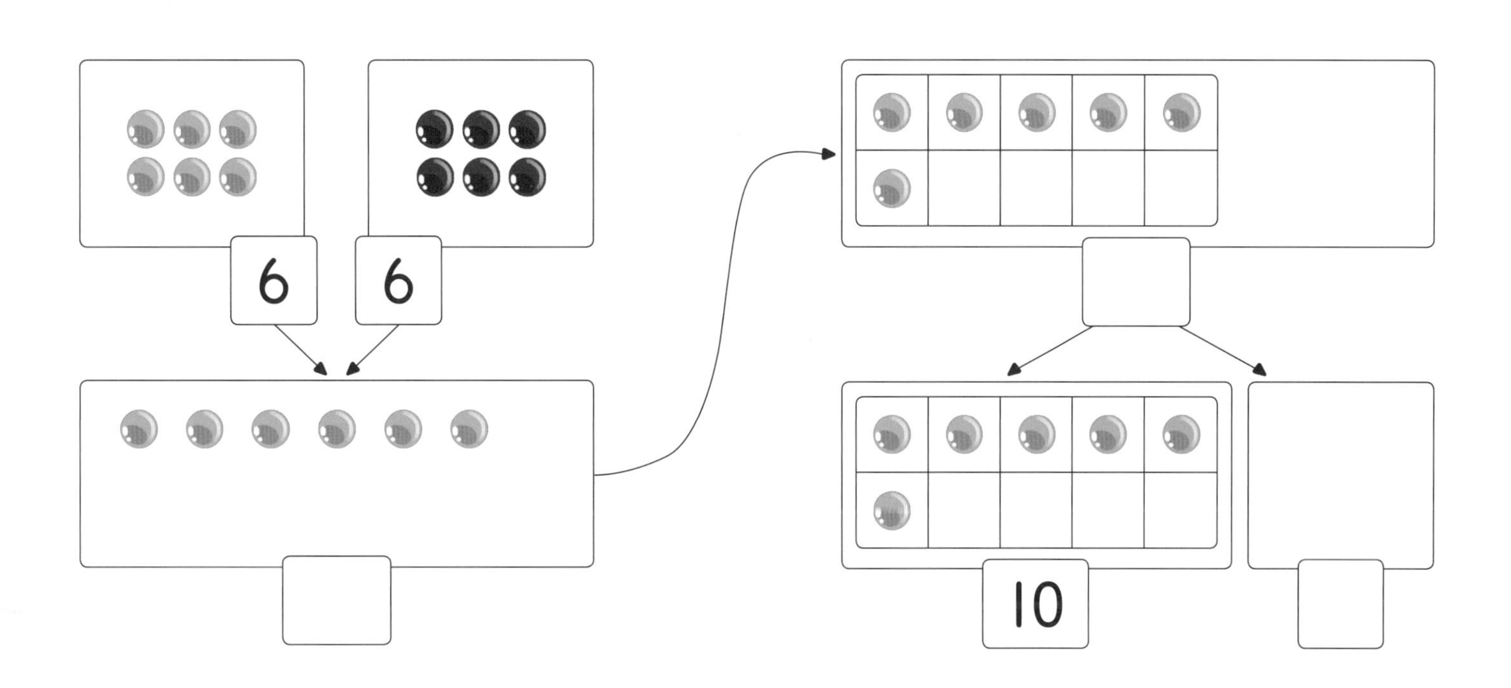

12일 10을 이용한 모으기와 가르기

그림을 보고 10을 이용한 모으기와 가르기를 하세요.

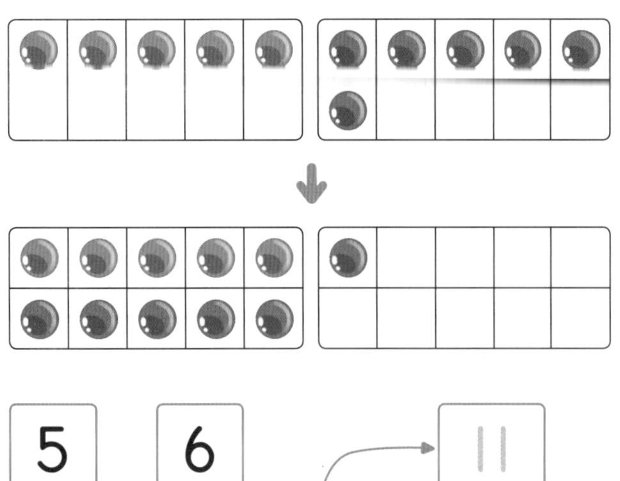

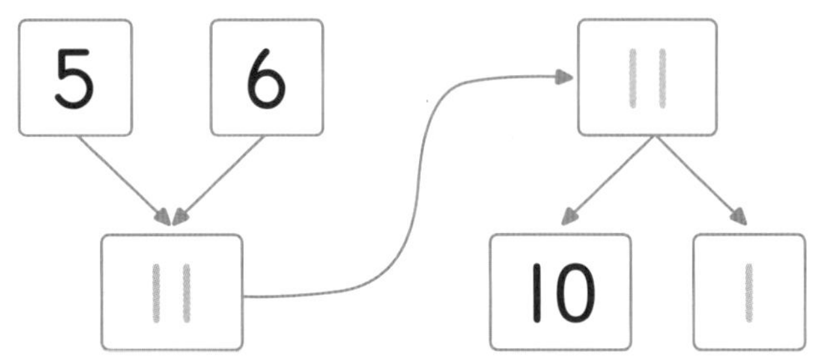

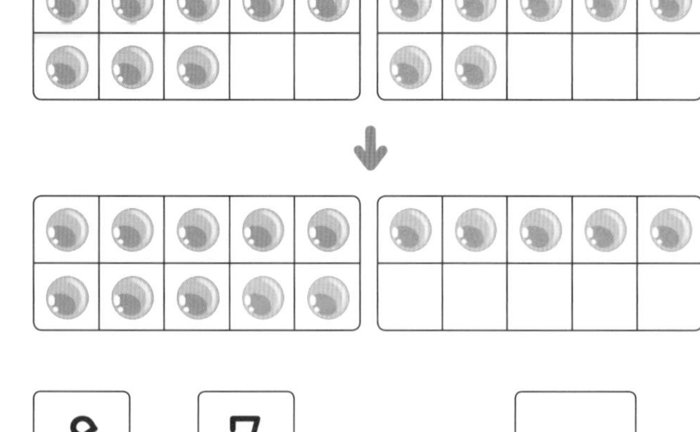

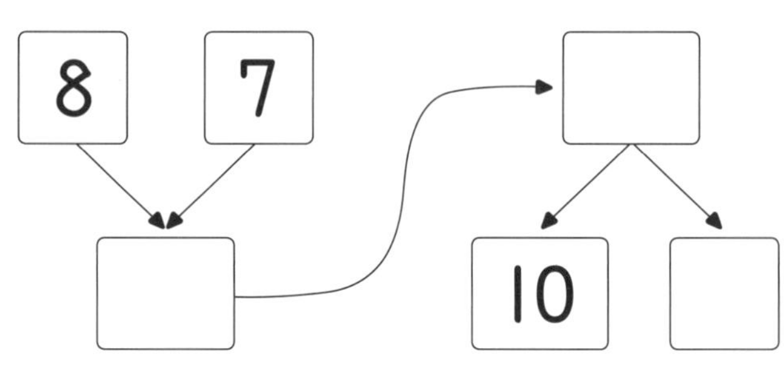

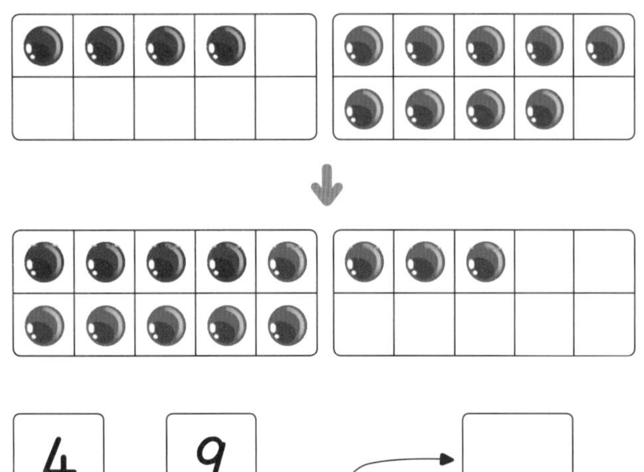

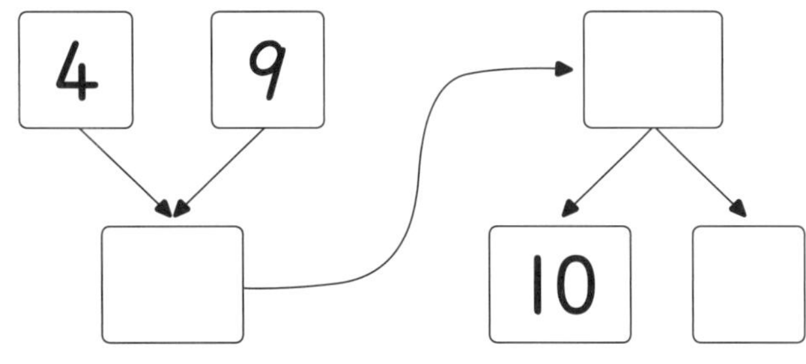

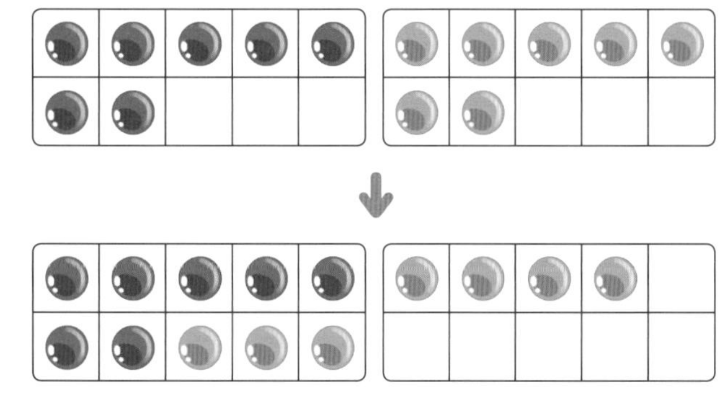

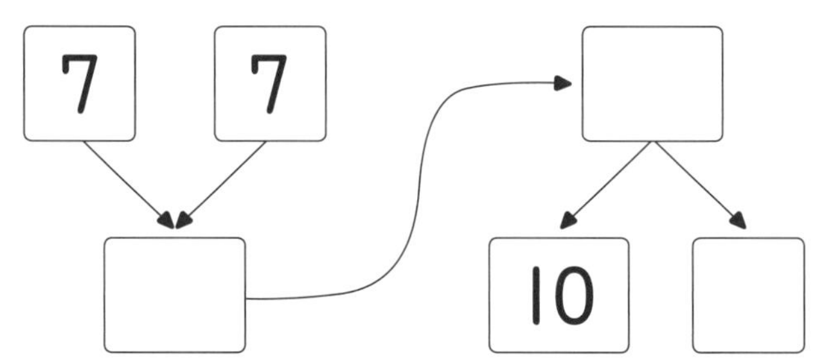

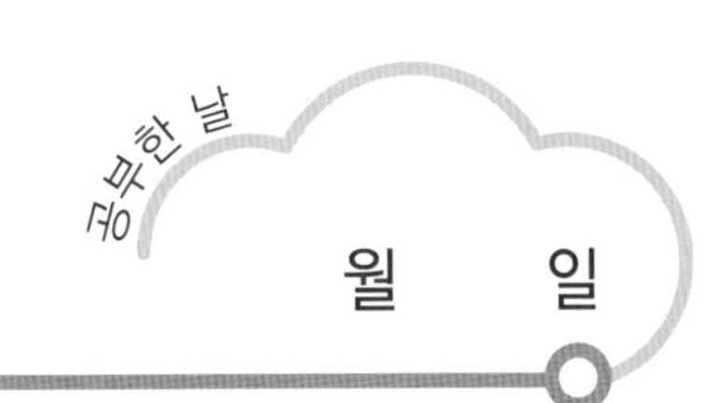

정답 113쪽

10을 이용한 모으기와 가르기를 하세요.

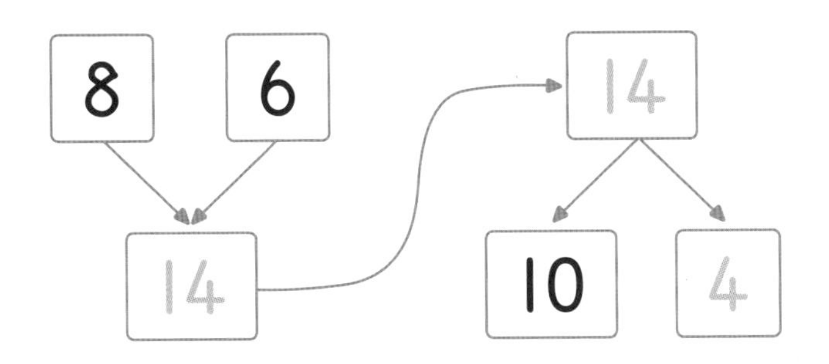

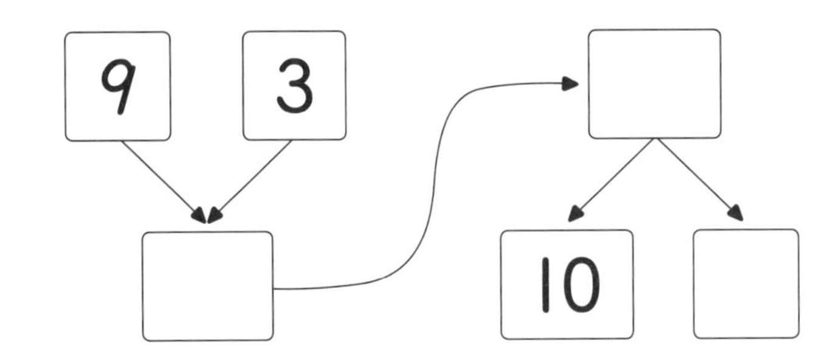

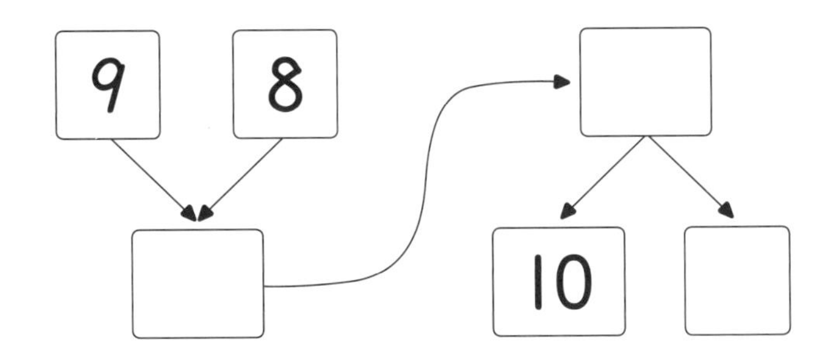

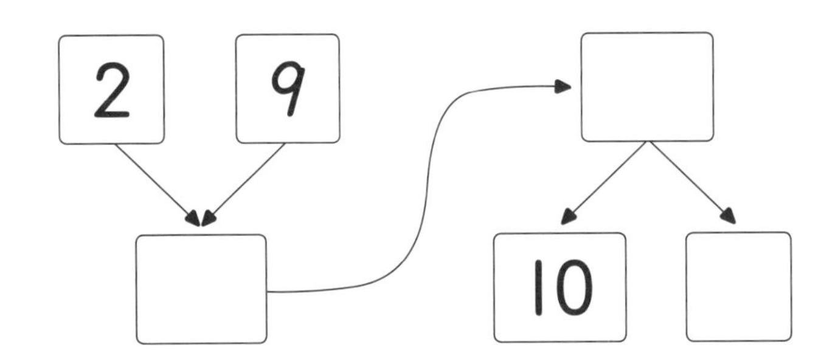

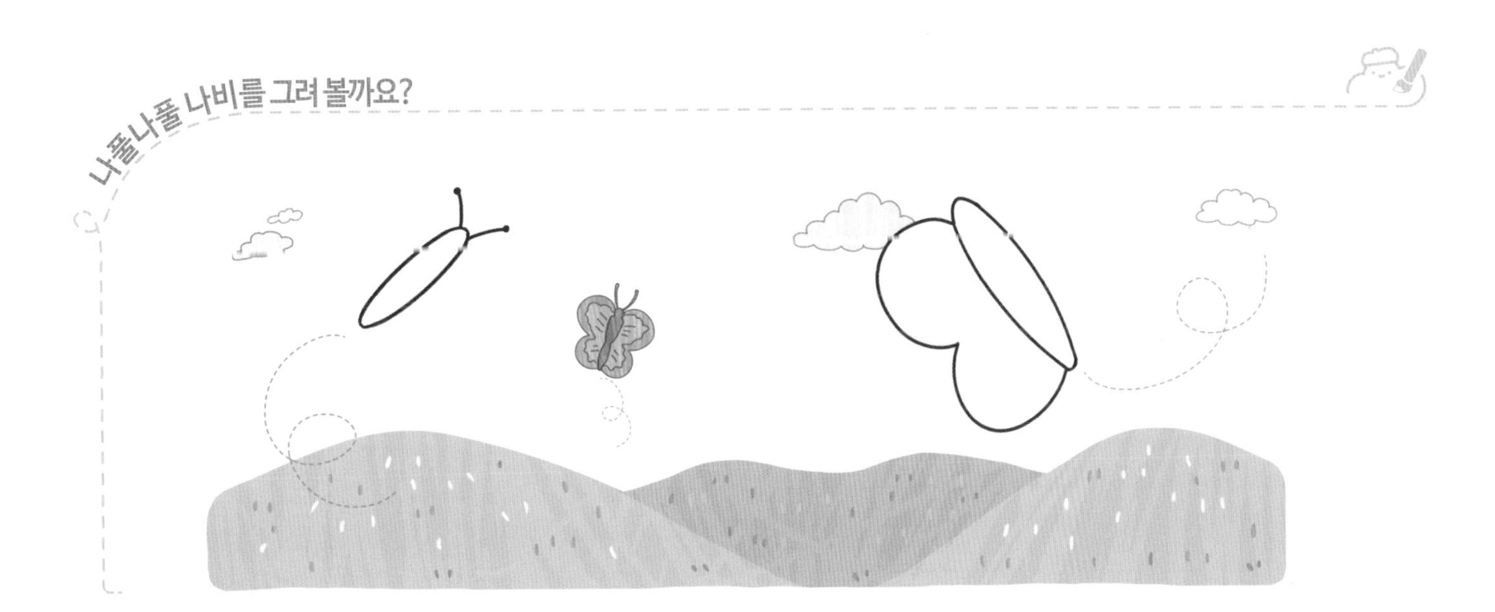

10을 이용한 덧셈 ①

개념 활동 강의

놀이기구에 타고 있는 사람은 모두 몇 명일까요?

지우네 가족 3명과 유리네 가족 8명 중 7명을 먼저 더하면 10명,
10명에 나머지 1명을 더하면 모두 11명이 돼요.

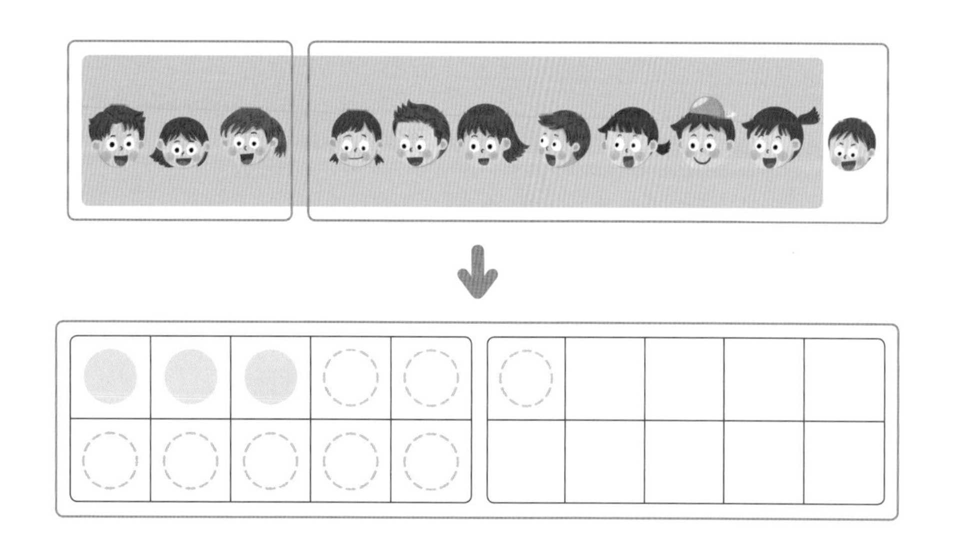

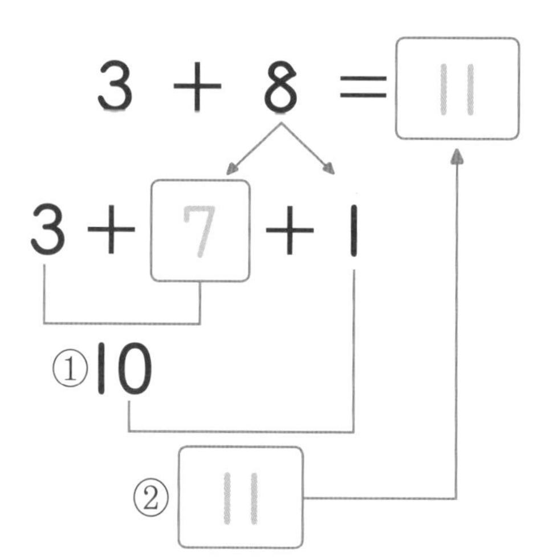

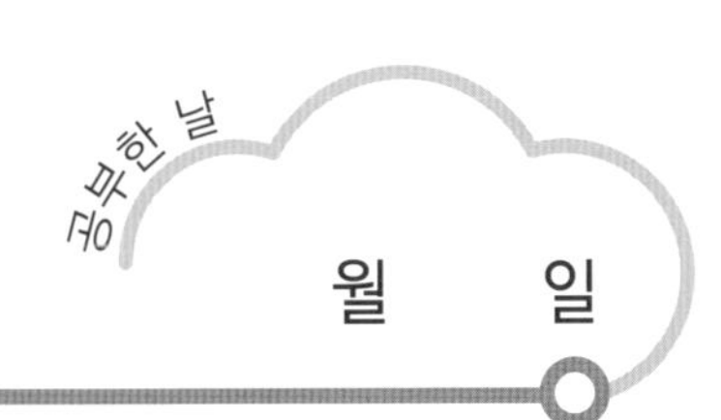

○를 그려서 덧셈을 하세요.

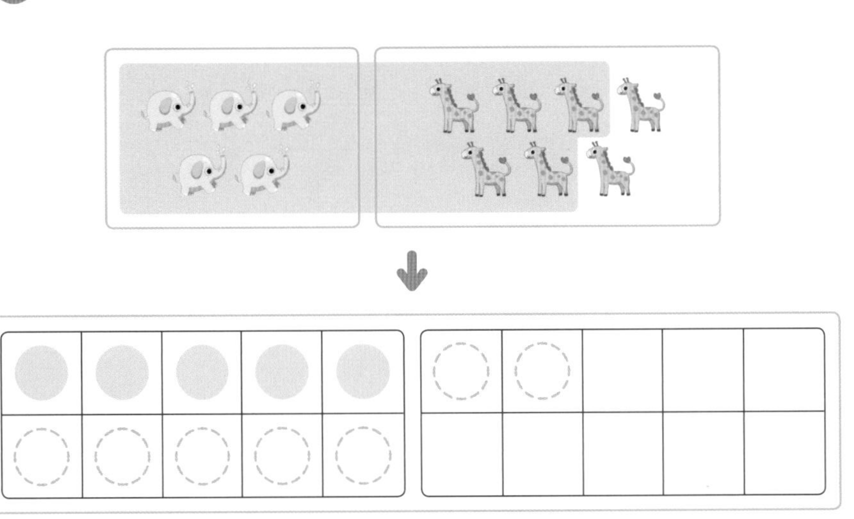

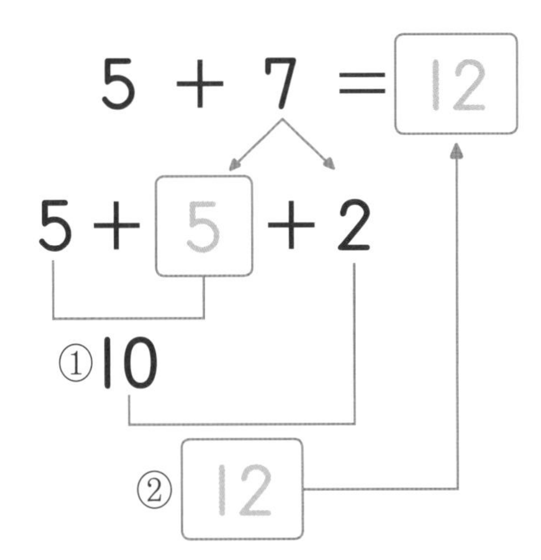

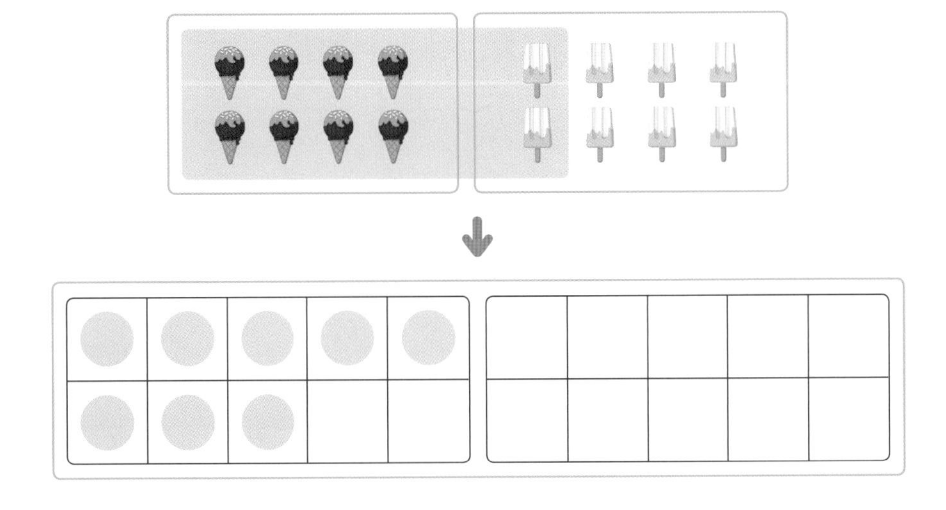

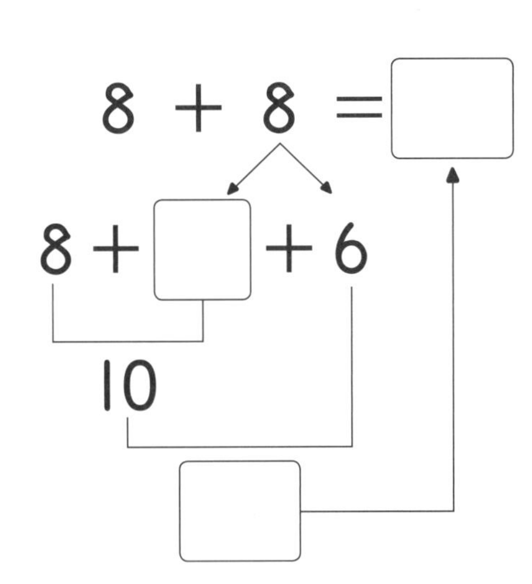

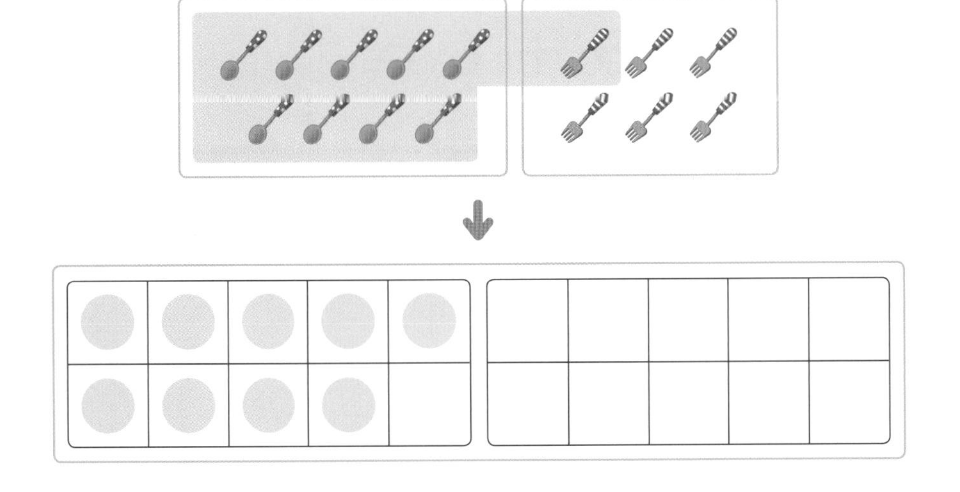

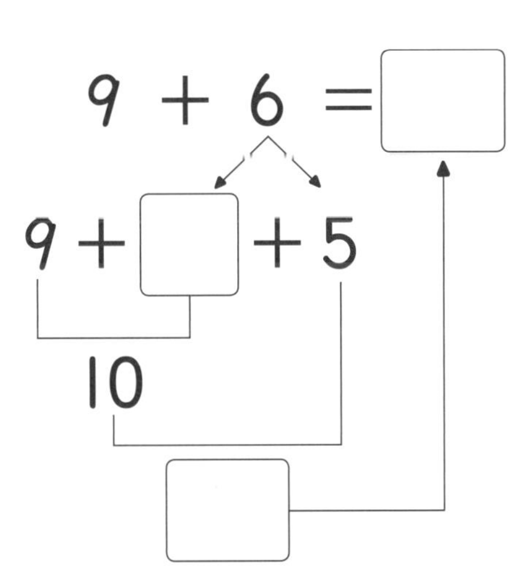

13일 10을 이용한 덧셈 ①

그림을 보고 덧셈을 하세요.

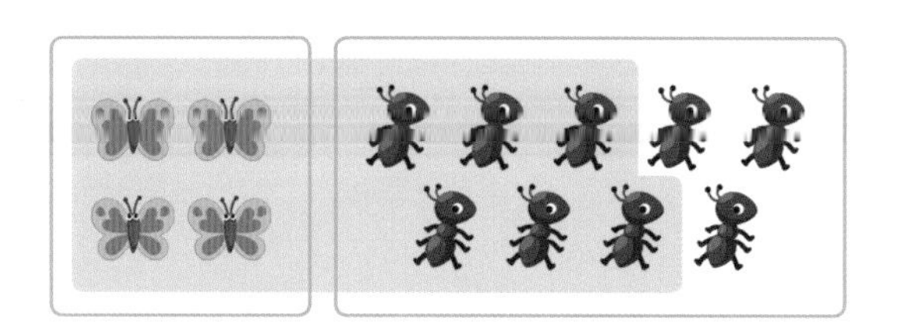

$4 + 9 = \boxed{13}$

$4 + \boxed{6} + 3$

10

$\boxed{13}$

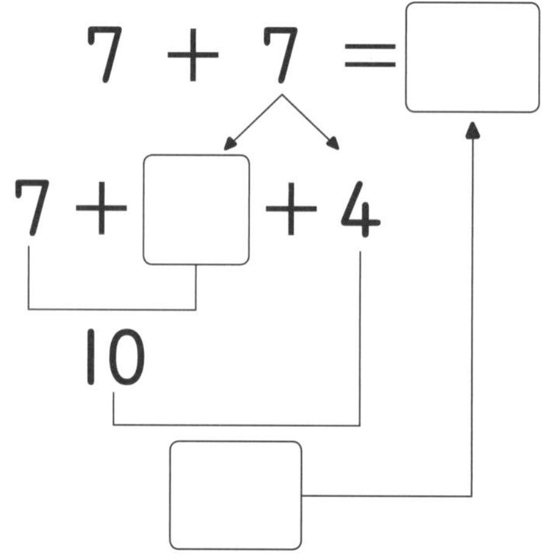

$7 + 7 = \square$

$7 + \square + 4$

10

$\square$

$8 + 4 = \square$

$8 + \square + 2$

10

$\square$

$5 + 6 = \square$

$5 + \square + 1$

10

$\square$

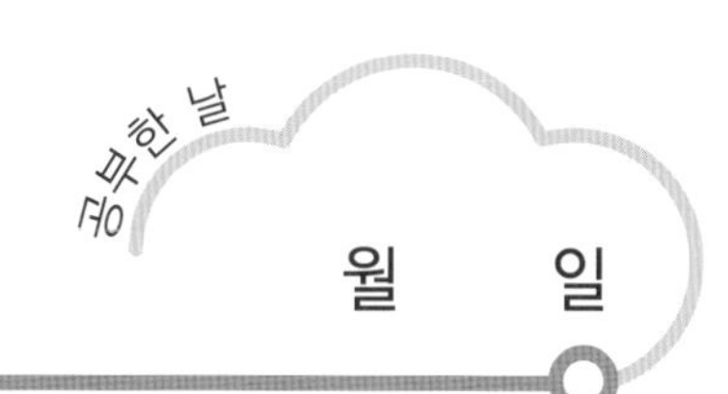

정답 113쪽

덧셈을 하세요.

$8 + 5 = 13$

$8 + 2 + 3$

10

13

$9 + 2 = \square$

$9 + \square + 1$

10

$\square$

$7 + 8 = \square$

$7 + \square + 5$

10

$\square$

$8 + 3 = \square$

$8 + \square + 1$

10

$\square$

커다란 수박을 그려 볼까요?

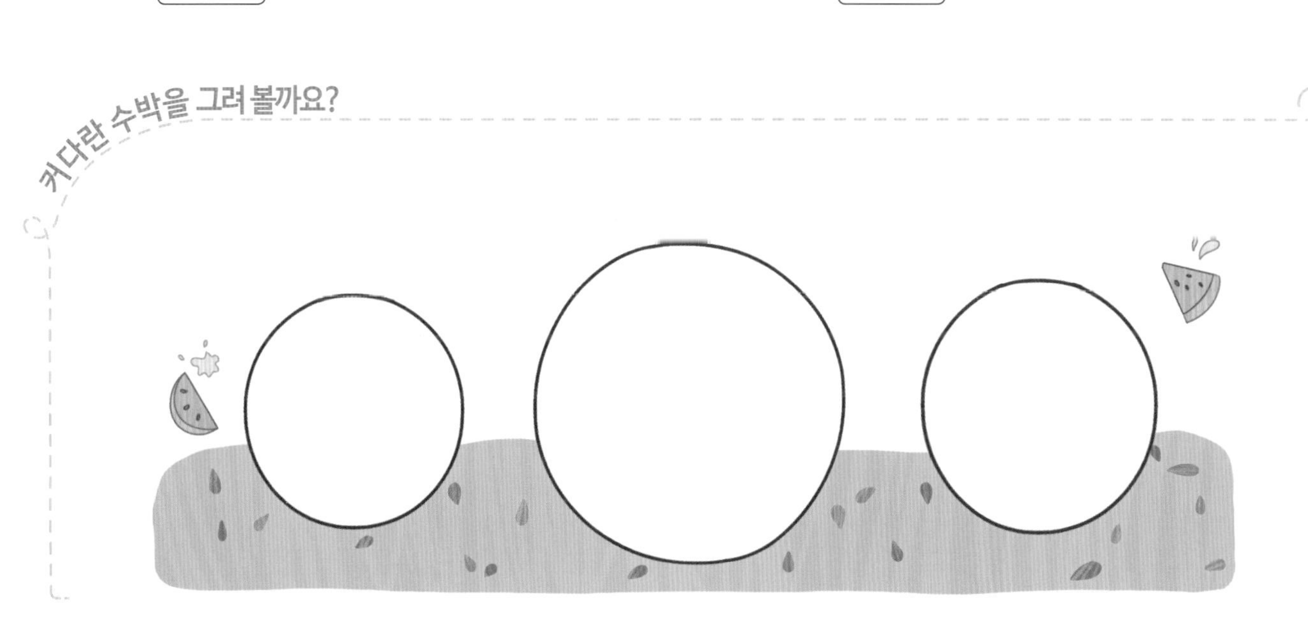

10을 이용한 덧셈 ②

책은 모두 몇 권일까요?

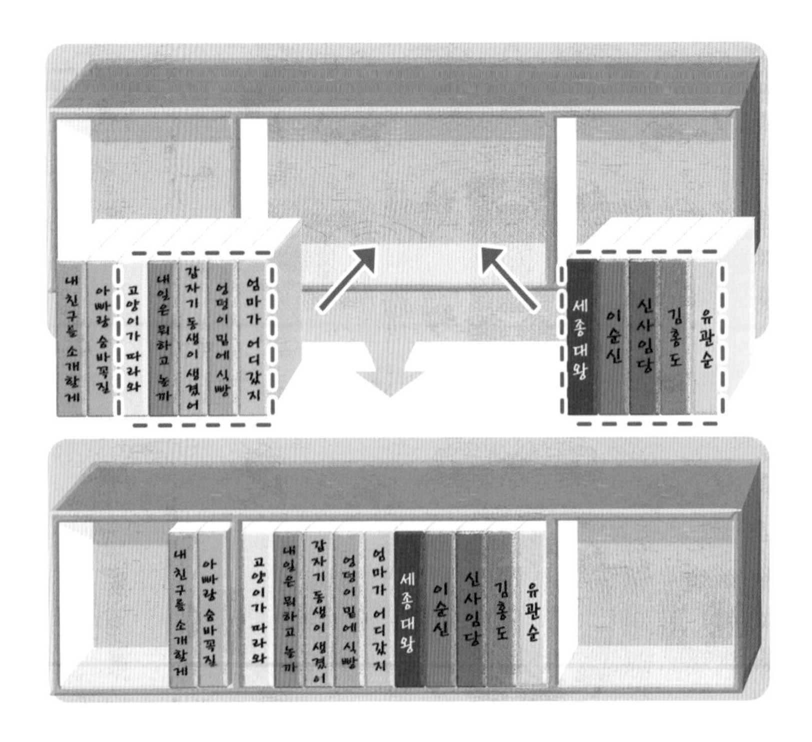

동화책 7권 중 5권과 위인전 5권을 먼저 더하면 10권,
나머지 2권과 10권을 더하면 모두 12권이 돼요.

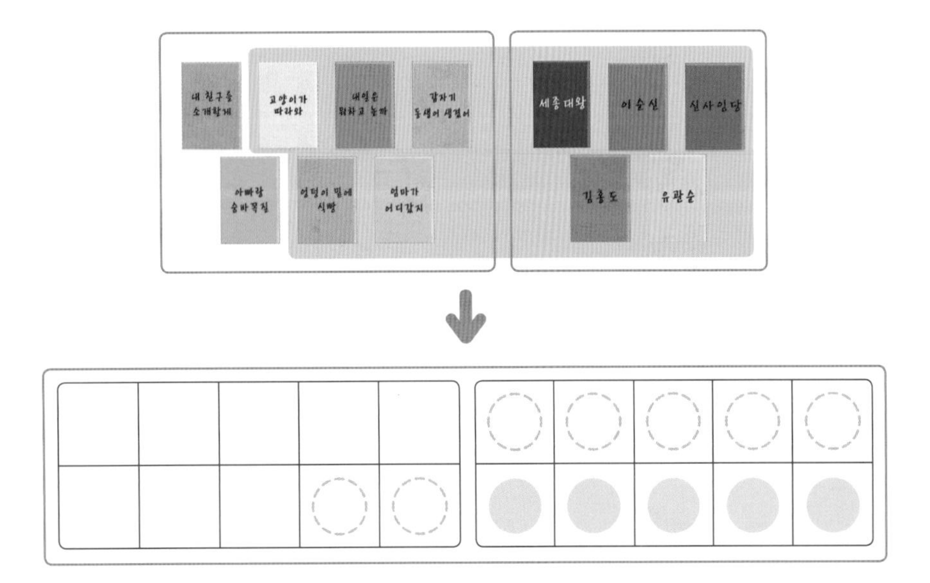

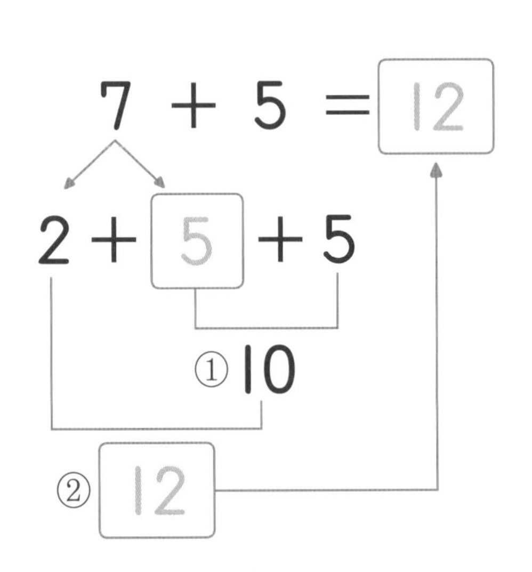

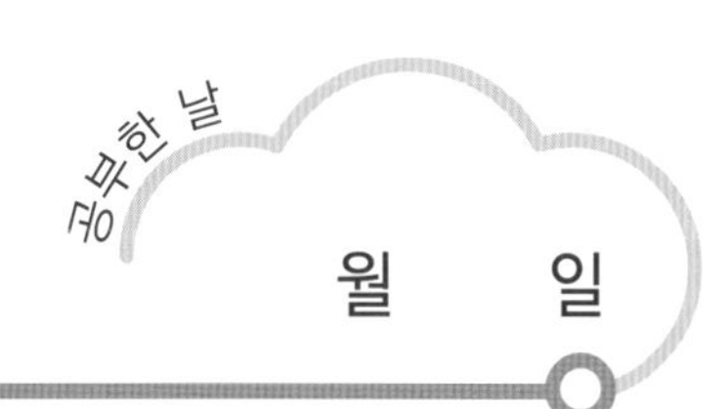

○를 그려서 덧셈을 하세요.

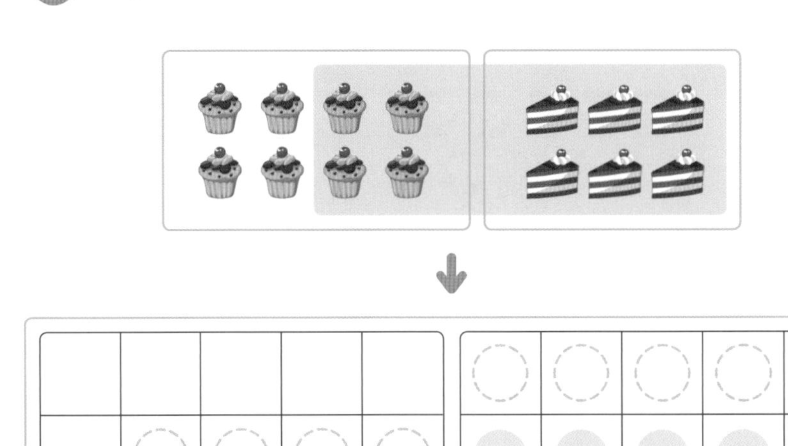

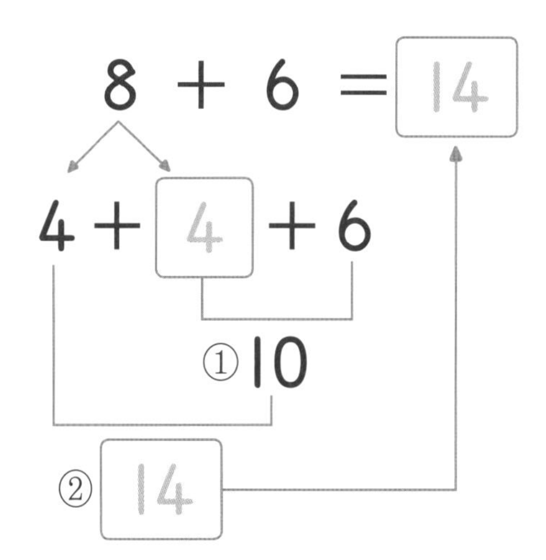

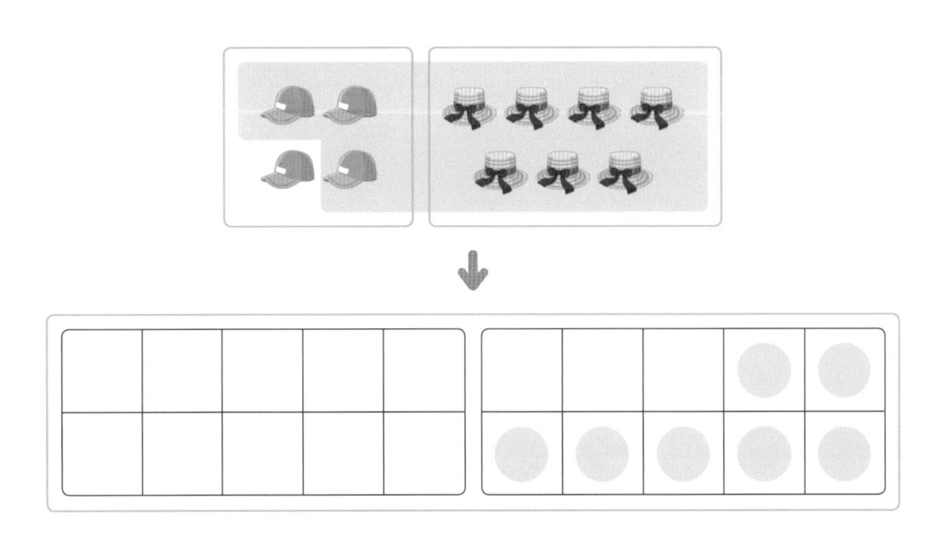

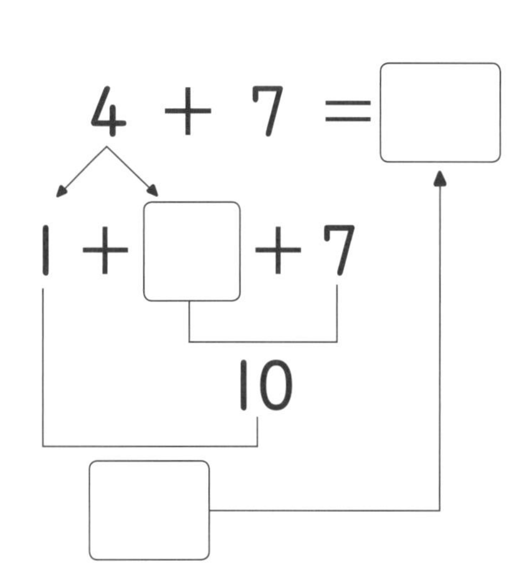

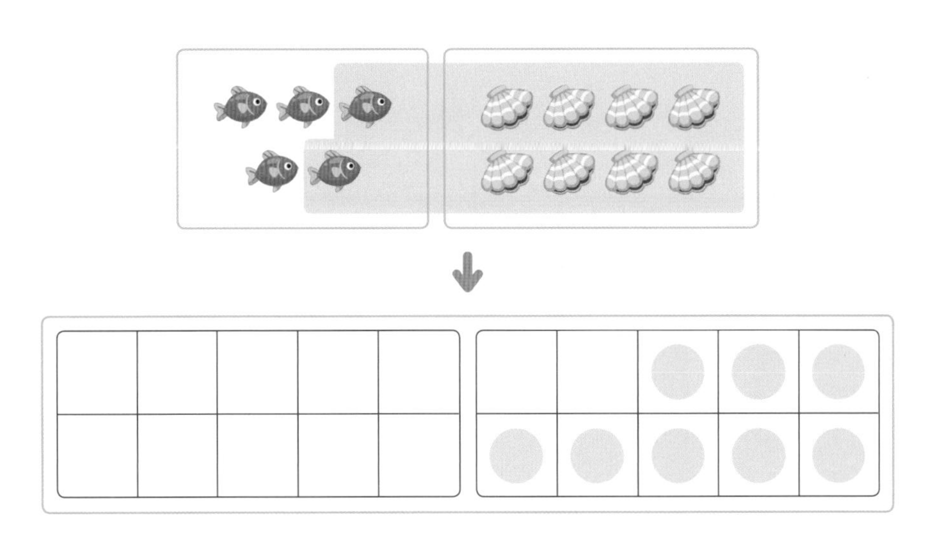

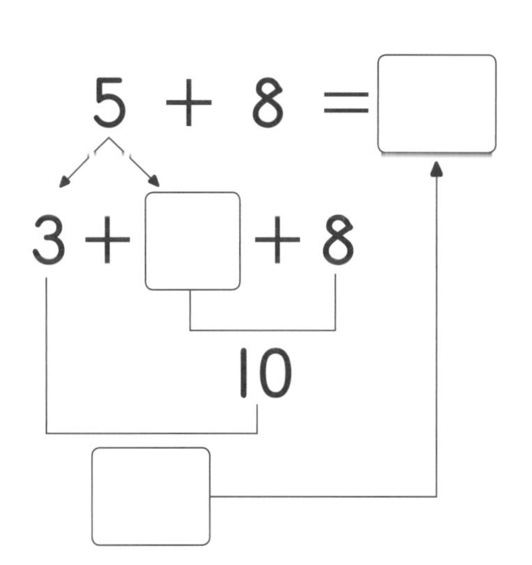

14일 10을 이용한 덧셈 ②

그림을 보고 덧셈을 하세요.

$3 + 9 = $ [12]

$2 + $ [1] $ + 9$

10

[12]

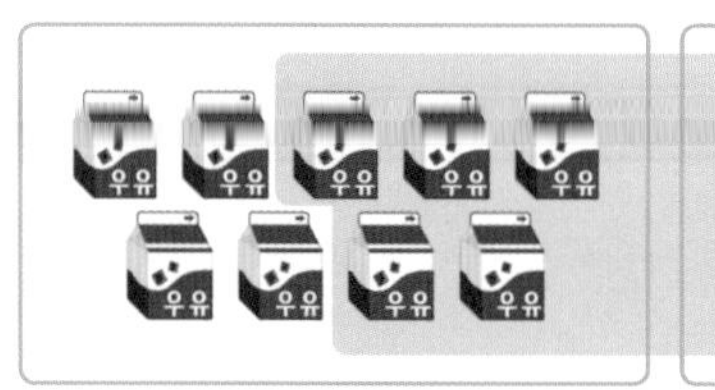

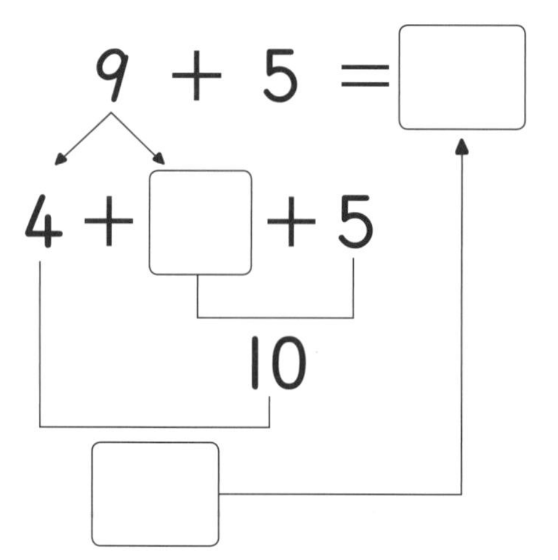

$9 + 5 = $ [ ]

$4 + $ [ ] $ + 5$

10

[ ]

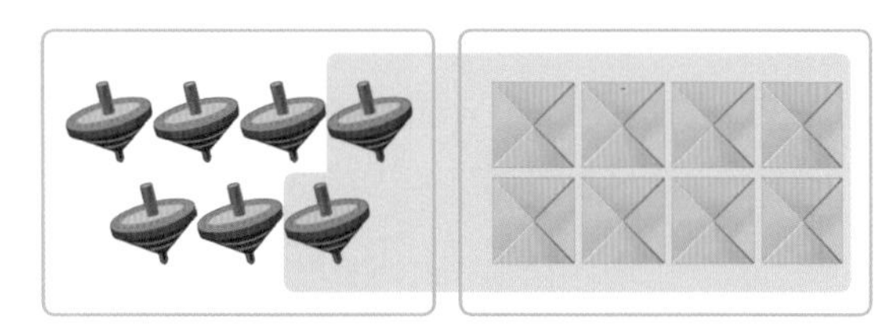

$7 + 8 = $ [ ]

$5 + $ [ ] $ + 8$

10

[ ]

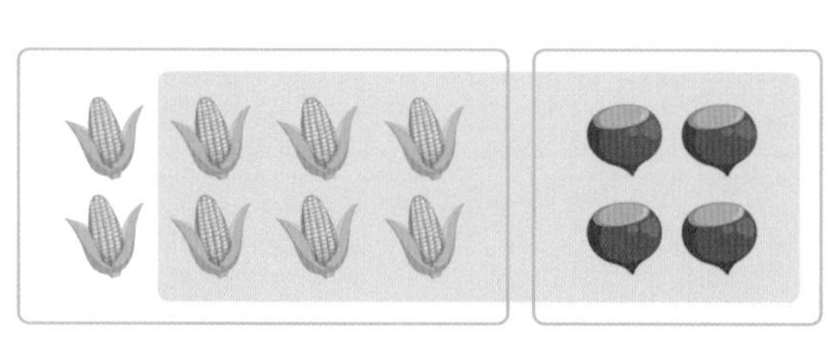

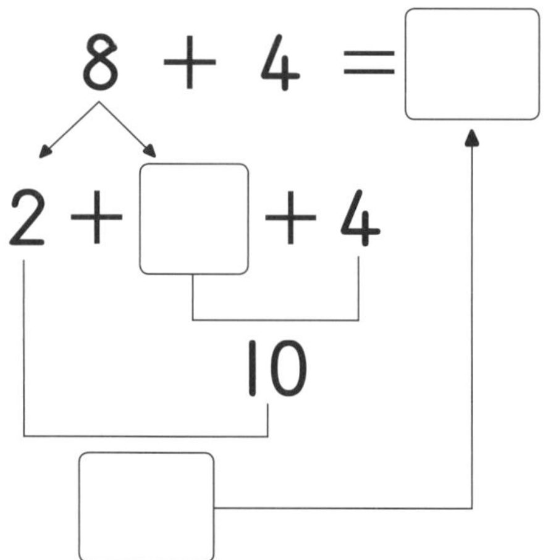

$8 + 4 = $ [ ]

$2 + $ [ ] $ + 4$

10

[ ]

덧셈을 하세요.

7 + 6 = 13

3 + 4 + 6

10

13

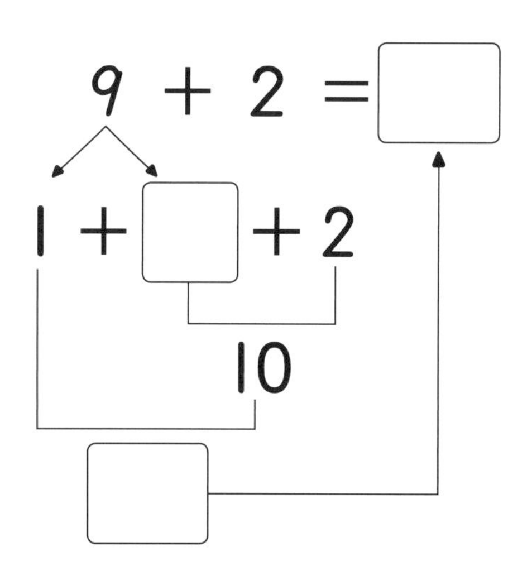

8 + 3 =

1 + + 3

10

7 + 7 =

4 + + 7

10

구불구불 애벌레를 그려 볼까요?

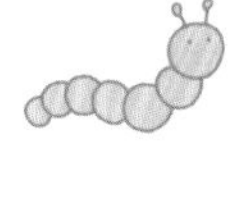

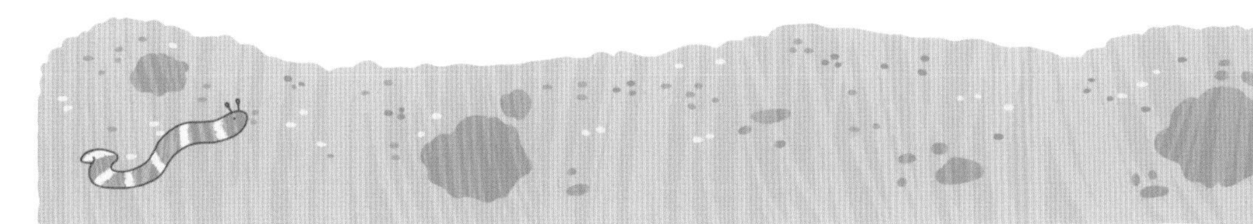

15일 받아올림이 있는 덧셈

뒤의 수를 가르기 하여 덧셈을 하세요.

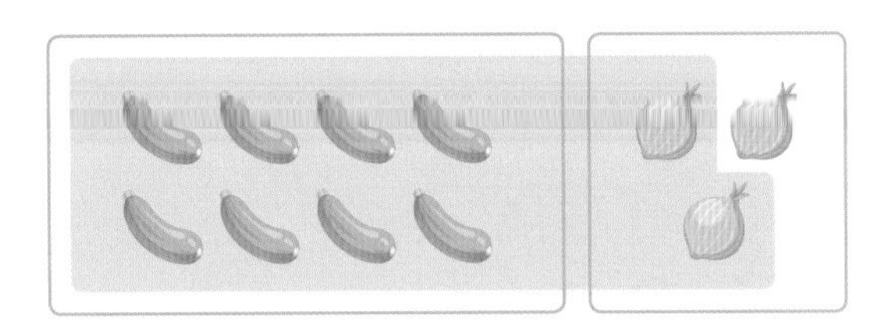

$8 + 3 = \square$

$8 + \square + 1$

10

$\square$

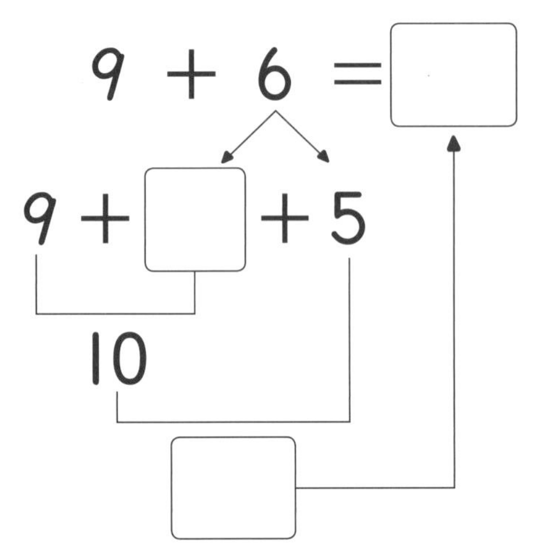

$9 + 6 = \square$

$9 + \square + 5$

10

$\square$

$7 + 5 = \square$

$7 + \square + 2$

10

$\square$

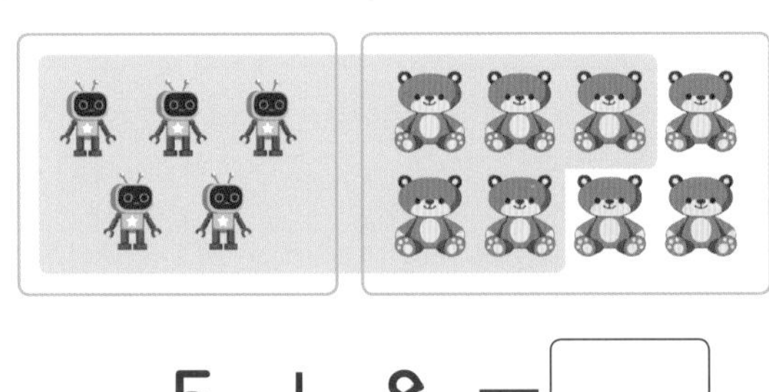

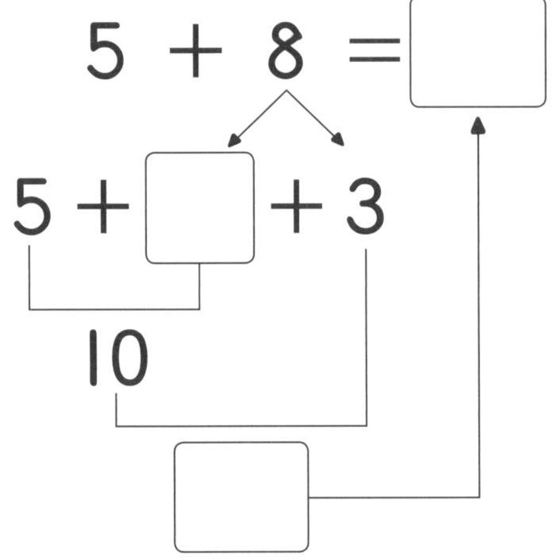

$5 + 8 = \square$

$5 + \square + 3$

10

$\square$

정답 114쪽

앞의 수를 가르기 하여 덧셈을 하세요.

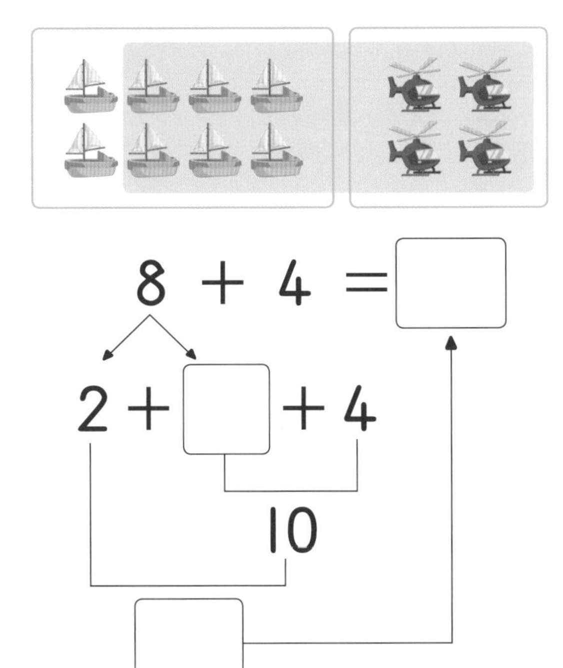

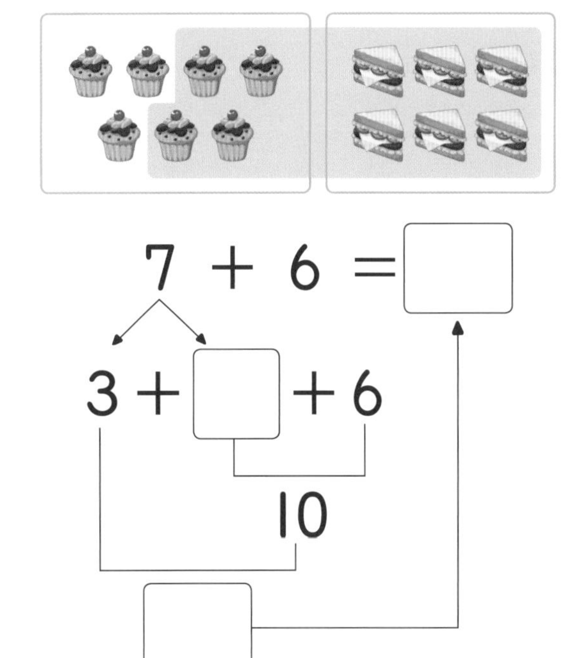

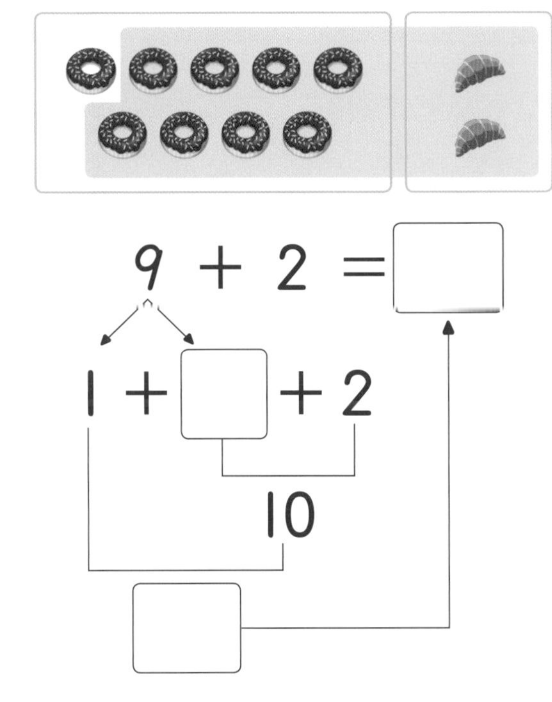

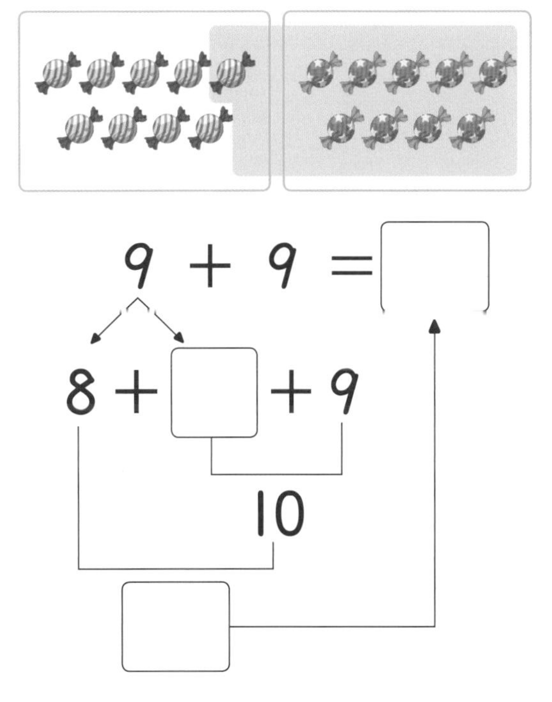

15일 받아올림이 있는 덧셈

덧셈을 하세요.

$4+9=\square$

$6+8=\square$

$9+3=\square$

$9+9=\square$

$7+5=\square$

$2+9=\square$

$9+6=\square$

$7+7=\square$

$8+9=\square$

$5+8=\square$

$9+7=\square$

$8+8=\square$

정답 115쪽

$6+6=\square$

$5+9=\square$

$7+8=\square$

$4+7=\square$

$5+6=\square$

$9+8=\square$

$6+7=\square$

$3+9=\square$

$4+8=\square$

우주에 사는 우주인을 그려 볼까요?

유연성을 길러요

코알라 자세

❶ 의자에 앉아요.

❷ 허리를 꼿꼿이 펴고 몸을 오른쪽으로 돌려 의자를 잡아요.

❸ 숨을 깊이 들이마셨다가 내쉬어요.

❹ 몸을 왼쪽으로 돌려서 똑같이 해요.

활 자세

❶ 바닥에 엎드려요.

❷ 두 손을 뒤로 뻗어 발목을 잡아 몸을 활처럼 만들어요.

❸ 몸을 흔들의자처럼 앞뒤로 흔들어요.

주제 8

받아내림이 있는 뺄셈

마녀가 사과를 따고 있어요!

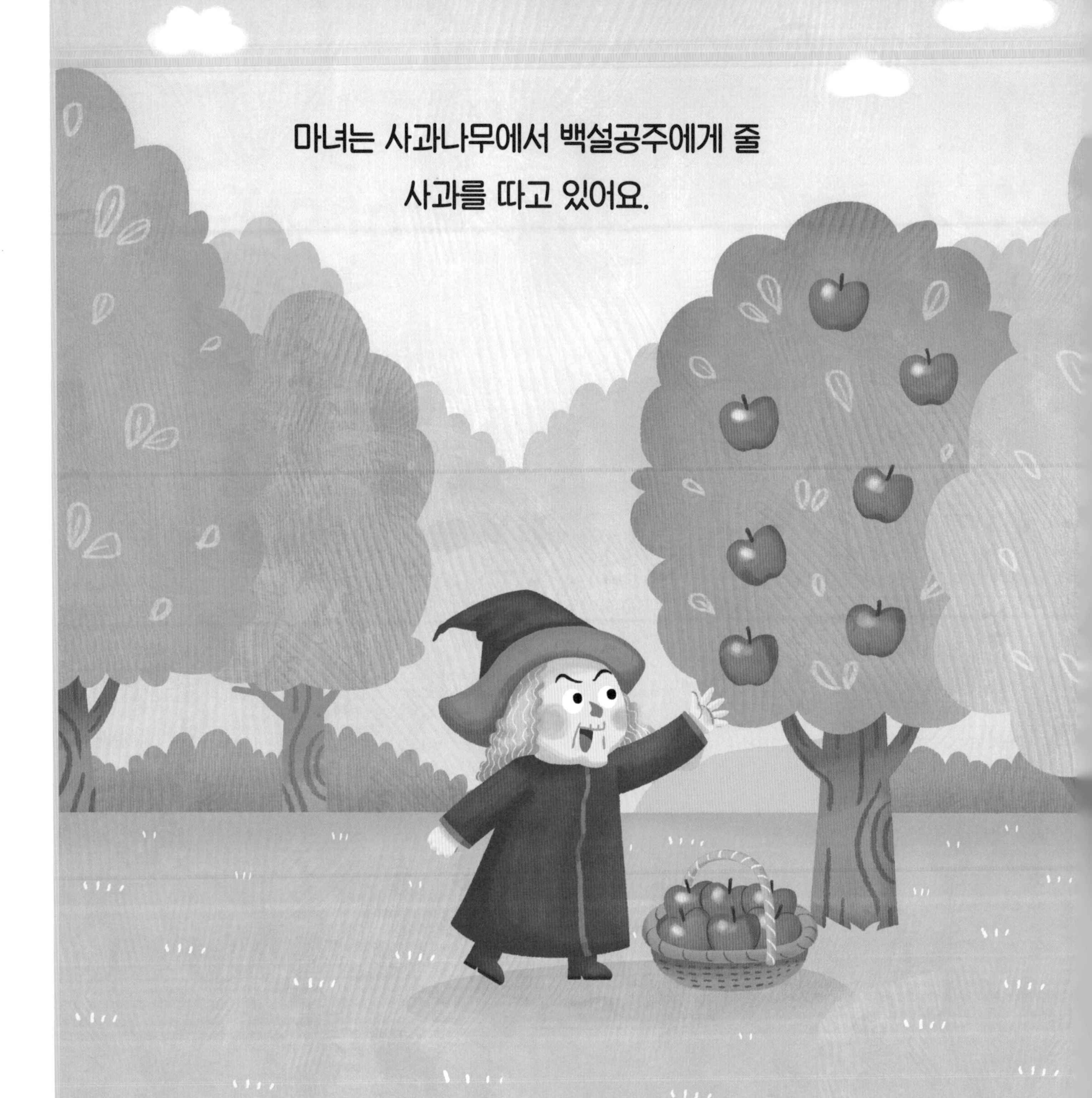
마녀는 사과나무에서 백설공주에게 줄
사과를 따고 있어요.

• **무엇을 알게 될까요?**

나무에 열려 있는 사과의 수에서 마녀가 딴 사과의 수를 10을 이용하여 빼는 활동을 통해 **받아내림이 있는 뺄셈** 방법을 알게 됩니다.

• **언제 배우나요?**

이번에 공부할 내용은 **초등학교 1학년 2학기 6단원 덧셈과 뺄셈(3)** 단원에서 배우게 됩니다.

마녀가 백설공주에게 건넨 사과에
독이 들어 있을까요?

16일 그림을 이용한 뺄셈

개념 활동 강의

남은 사과는 몇 개일까요?

나무에 있는 사과 13개에서 마녀가 딴 사과 8개를 빼면
남은 사과는 5개예요.

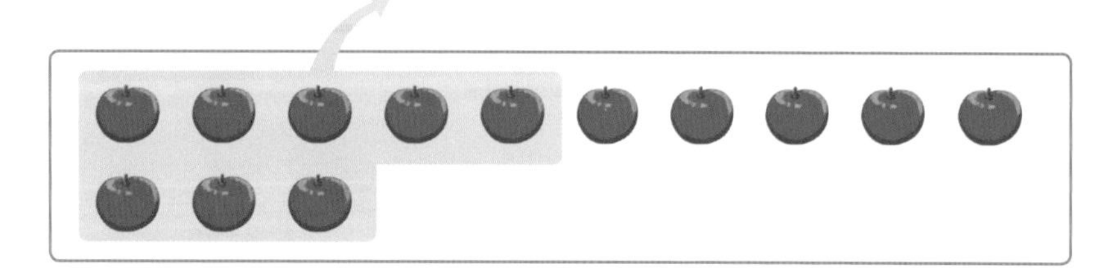

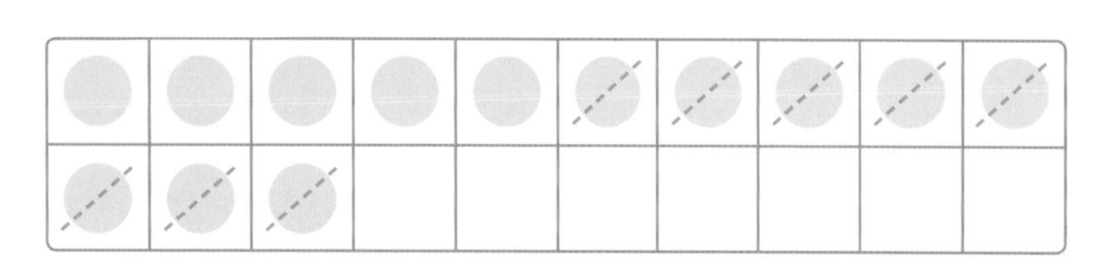

$13-8=$ 5

정답 116쪽

덜어내는 수만큼 ╱로 지우고 뺄셈을 하세요.

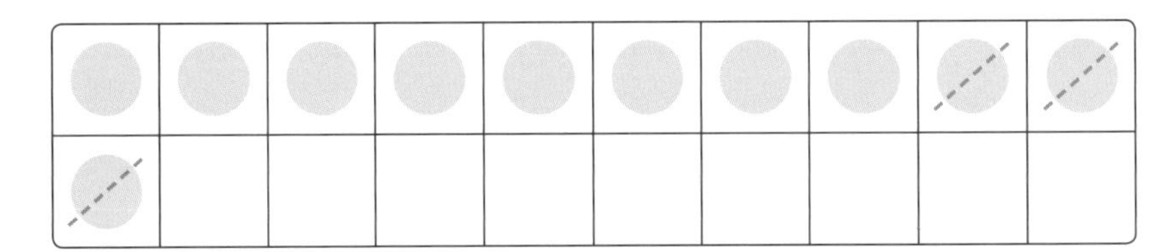

11 − 3 = 8

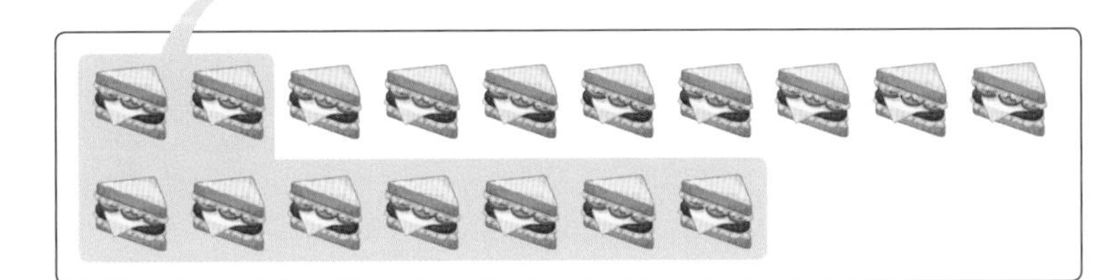

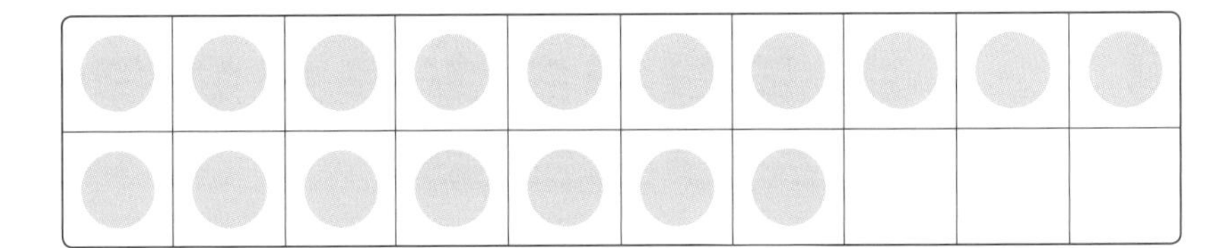

17 − 9 = ☐

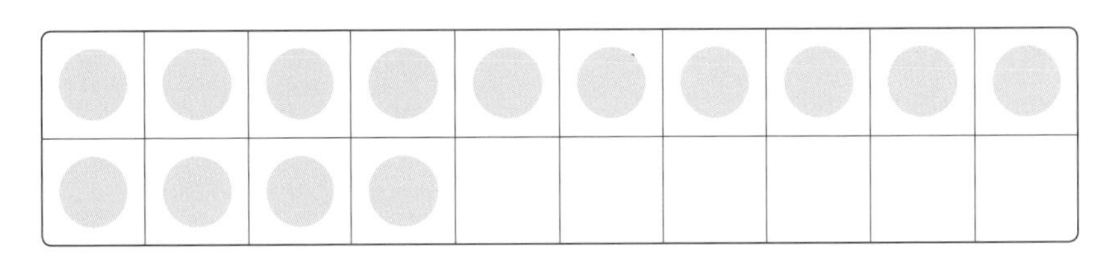

14 − 7 = ☐

16일 그림을 이용한 뺄셈

그림을 보고 뺄셈을 하세요.

12 − 5 = 7

11 − 7 = □

14 − 9 = □

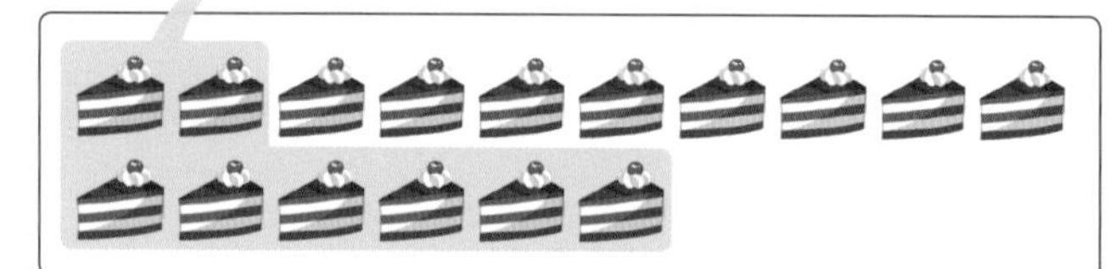

16 − 8 = □

그림을 보고 뺄셈을 하세요.

13 − 7 = 6

12 − 9 = ☐

16 − 9 = ☐

11 − 6 = ☐

14 − 6 = ☐

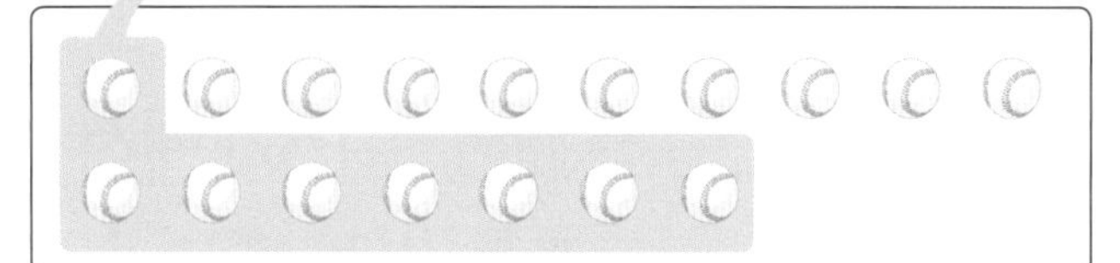

17 − 8 = ☐

부지런한 개미를 그려 볼까요?

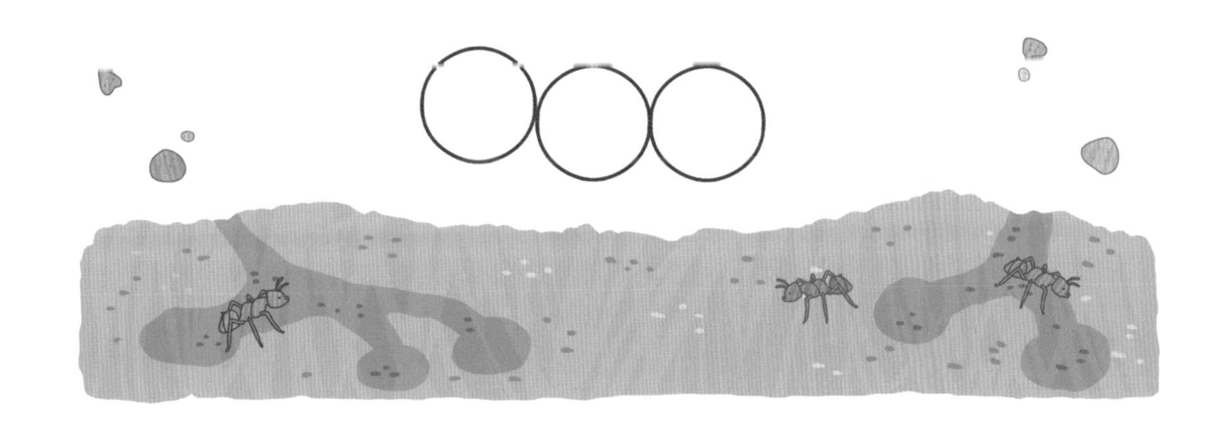

10을 이용한 뺄셈 ①

남은 크레파스는 몇 개일까요?

크레파스 15개에서 손에 들고 있는 크레파스 6개 중
5개를 먼저 빼면 10개, 10개에서 나머지 1개를 빼면
남은 크레파스는 9개가 돼요.

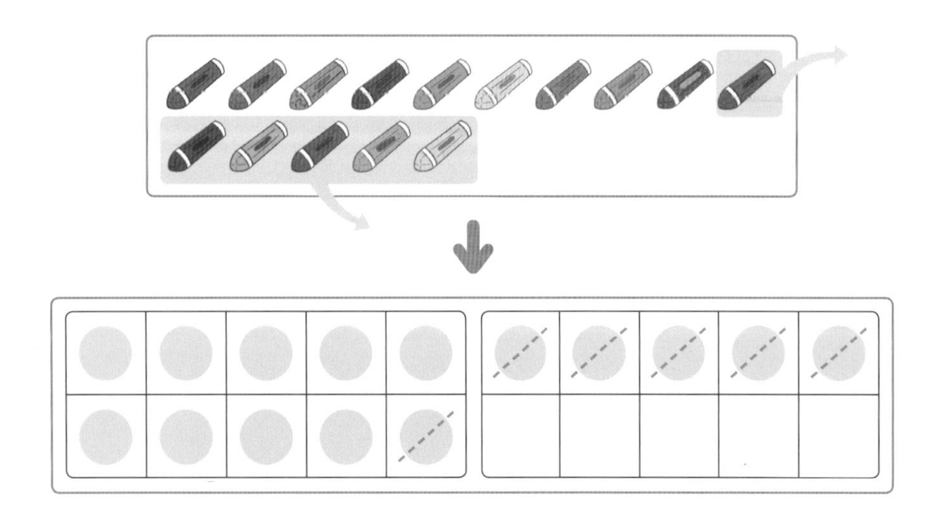

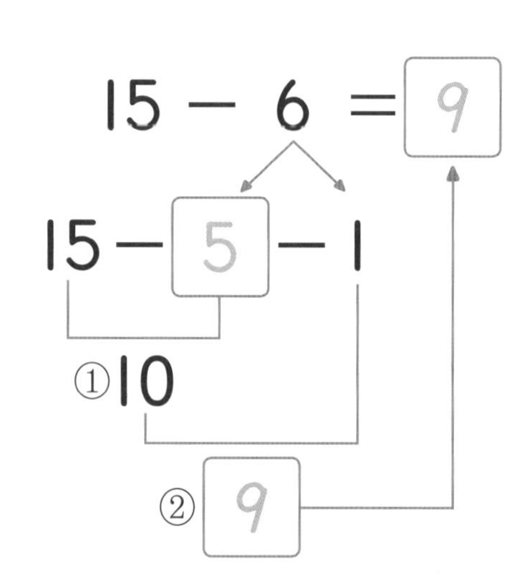

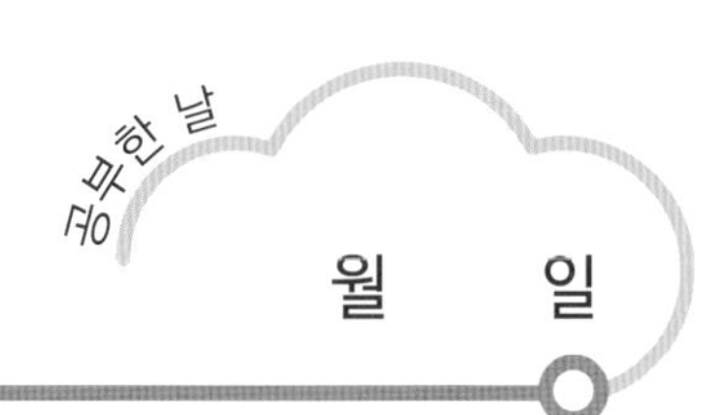

정답 116쪽

덜어내는 수만큼 ╱로 지우고 뺄셈을 하세요.

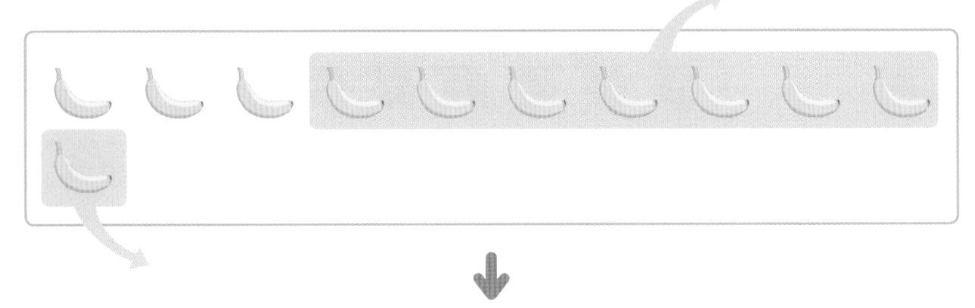

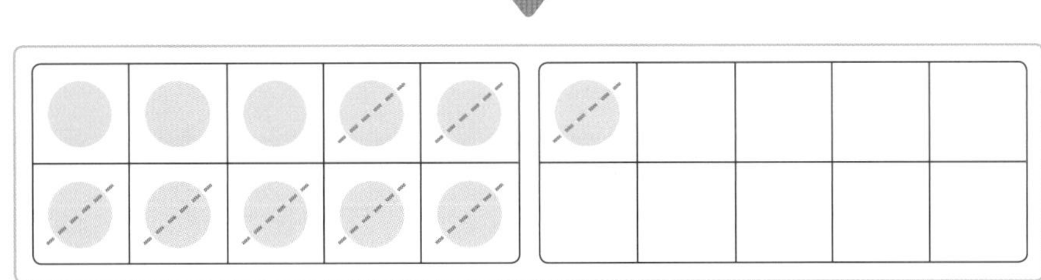

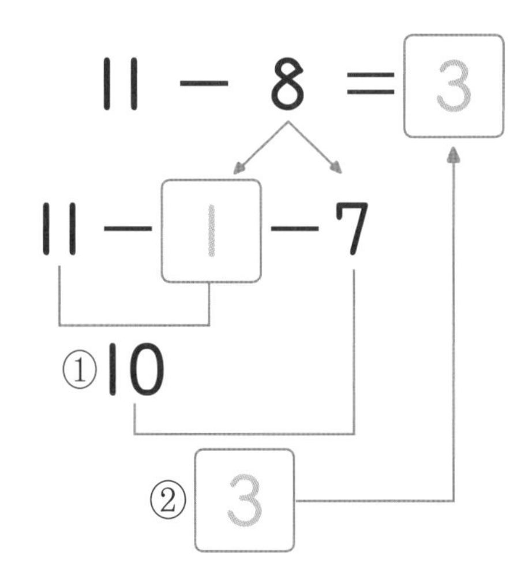

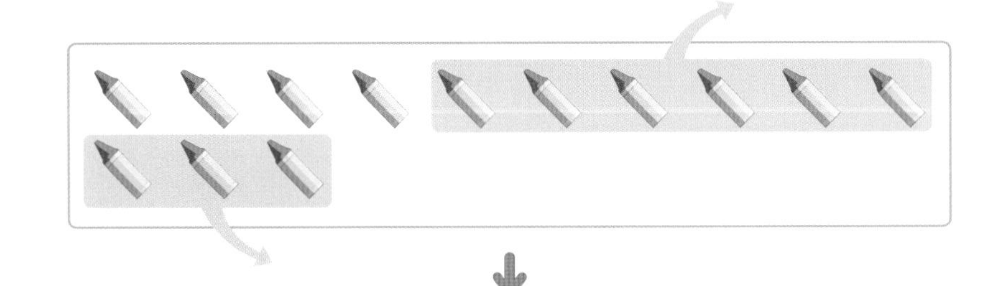

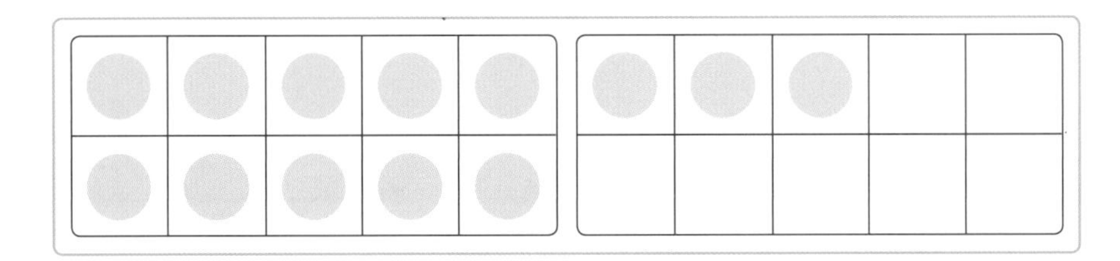

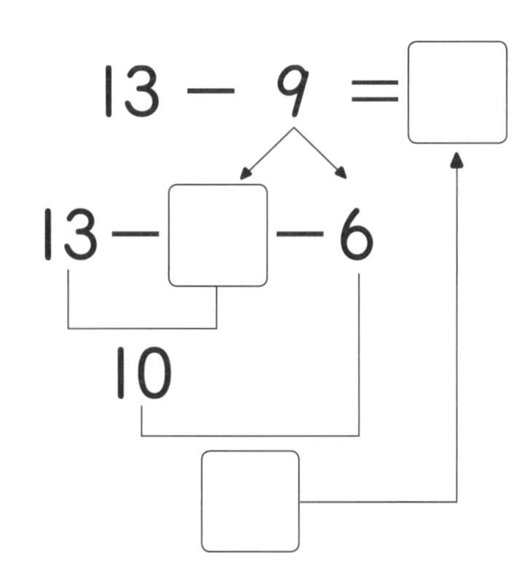

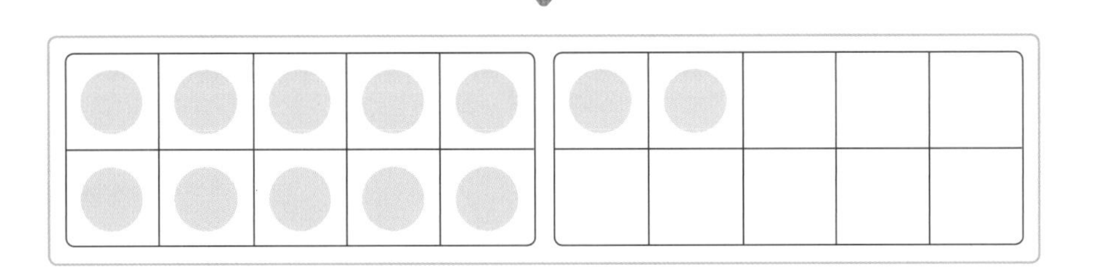

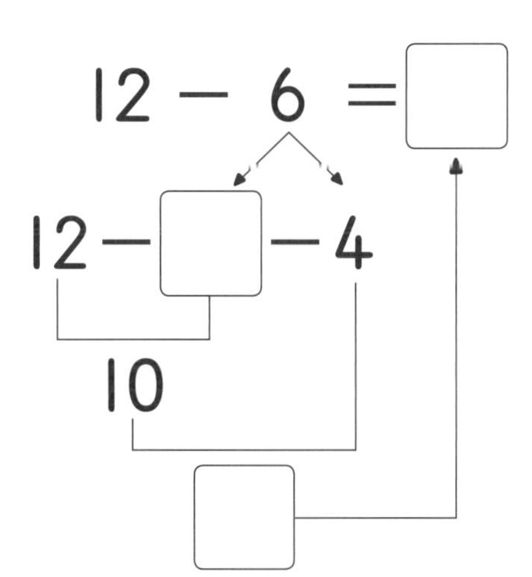

17일 10을 이용한 뺄셈 ①

그림을 보고 뺄셈을 하세요.

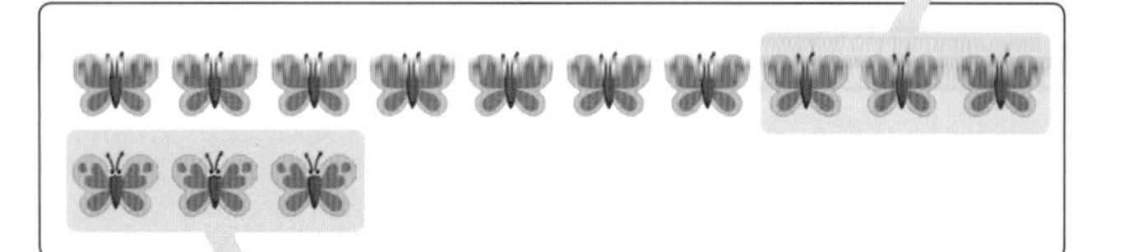

$13 - 6 = 7$

$13 - 3 - 3$

10

7

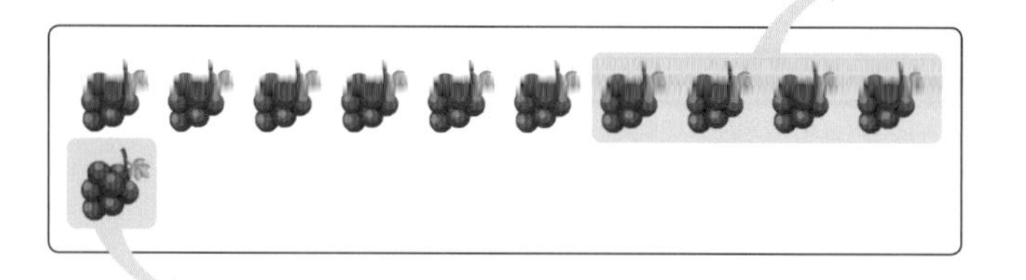

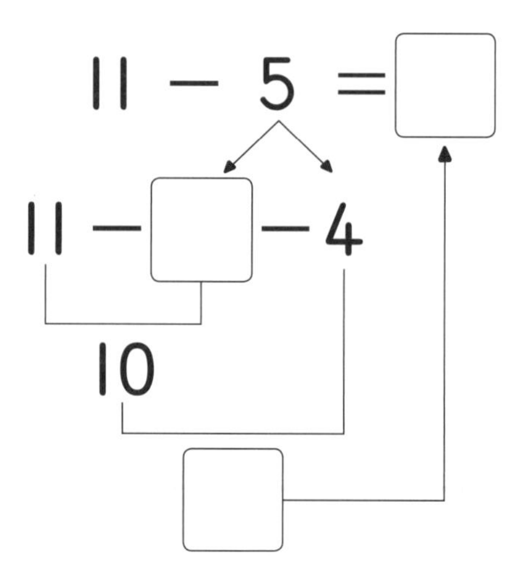

$18 - 9 = \square$

$18 - \square - 1$

10

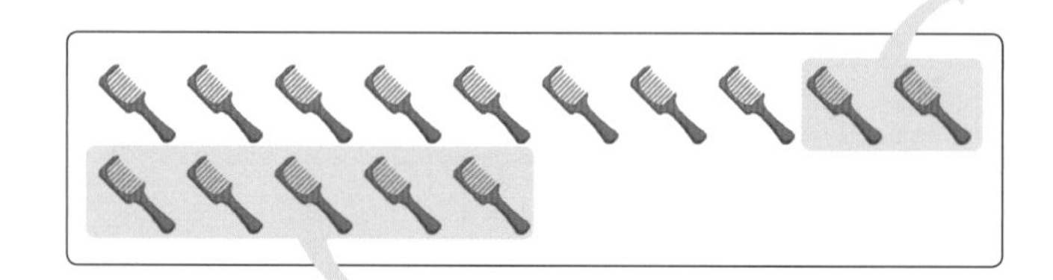

$15 - 7 = \square$

$15 - \square - 2$

10

정답 117쪽

뺄셈을 하세요.

$12 - 8 = 4$

$12 - 2 - 6$

10

4

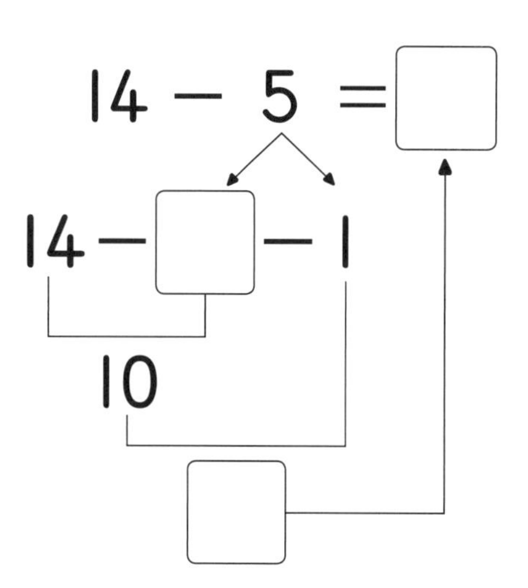

$17 - 9 =$ ☐

$17 -$ ☐ $- 2$

10

☐

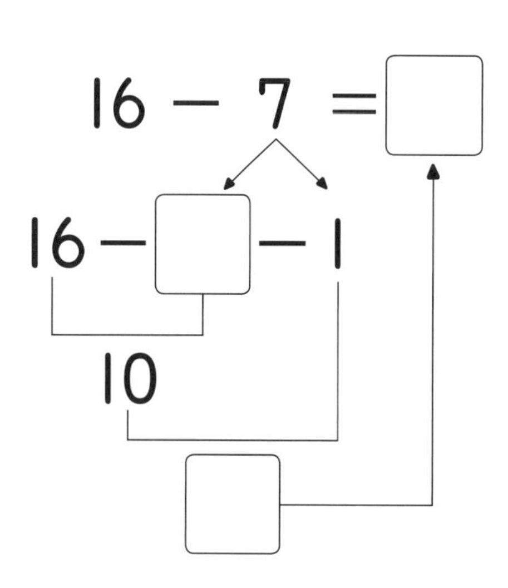

펄럭펄럭 깃발을 그려 볼까요?

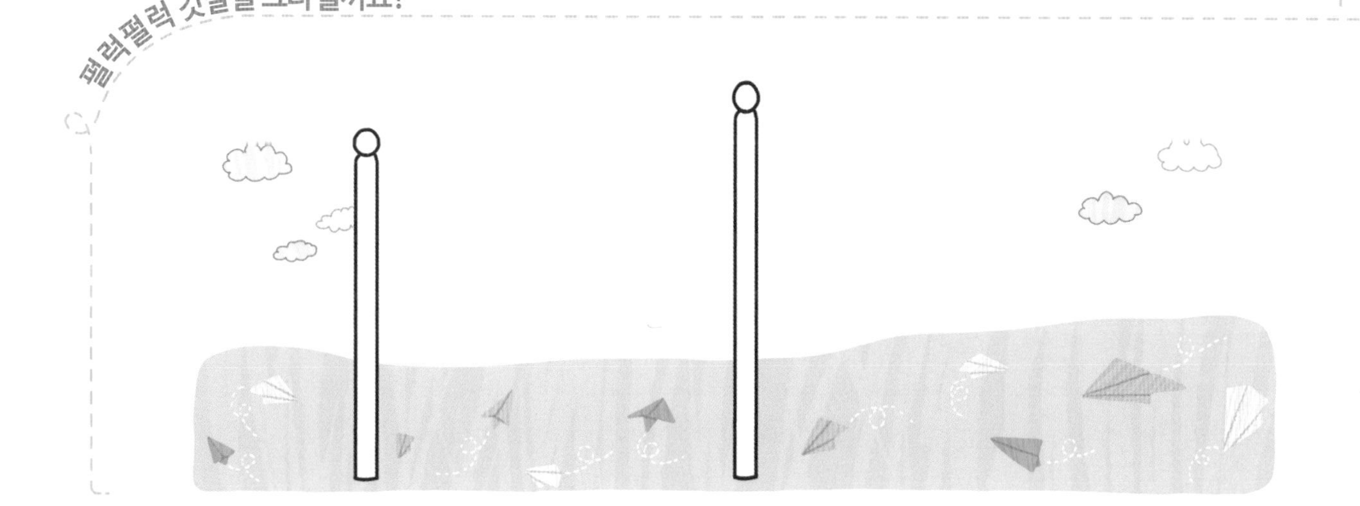

18일 10을 이용한 뺄셈 ②

남은 풍선은 몇 개일까요?

풍선 11개 중 10개에서 터진 풍선 4개를 먼저 빼면 6개,
나머지 풍선 1개와 6개를 더하면 남은 풍선은 7개가 돼요.

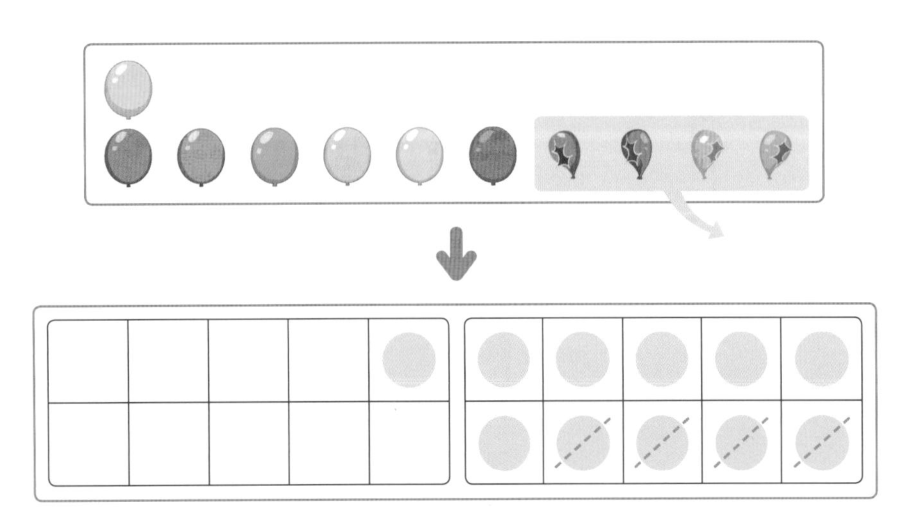

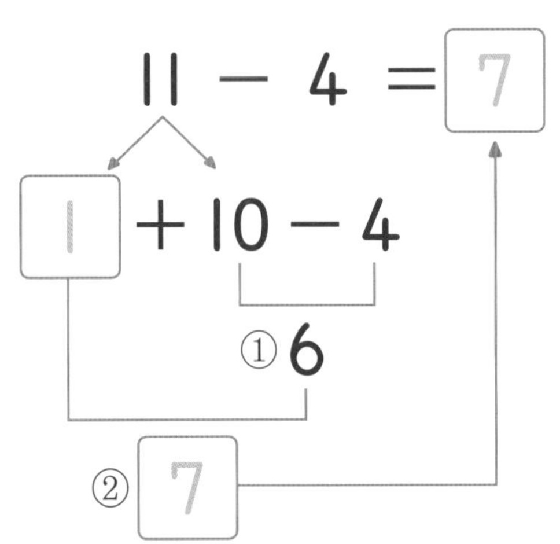

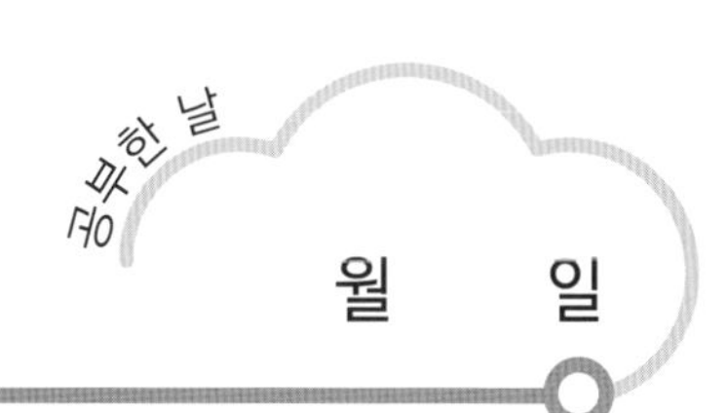

덜어내는 수만큼 ╱로 지우고 뺄셈을 하세요.

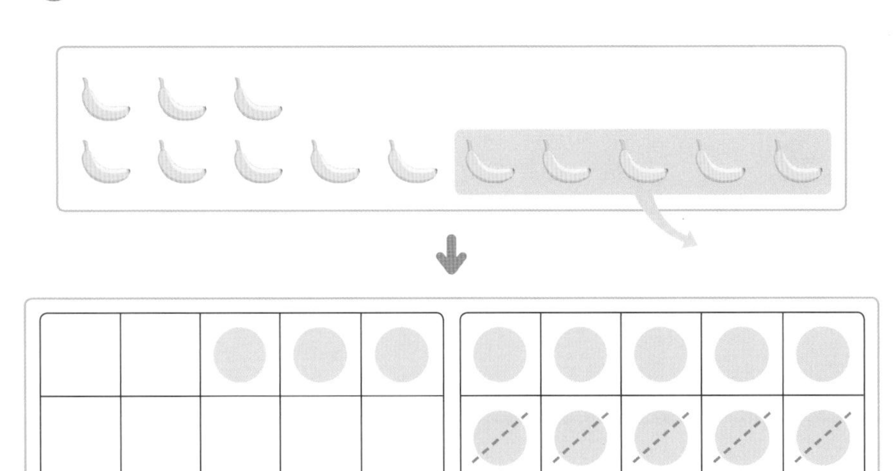

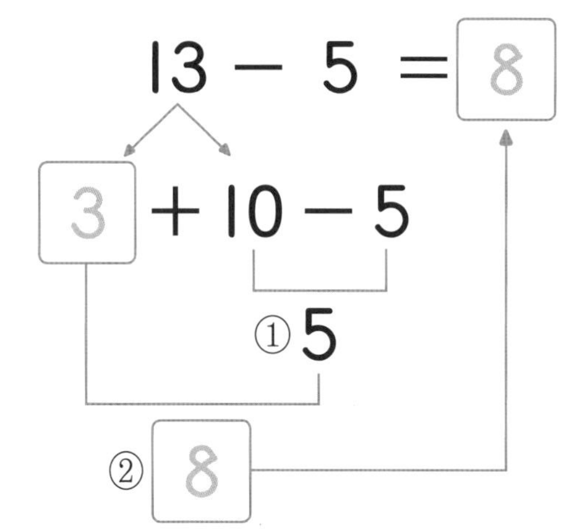

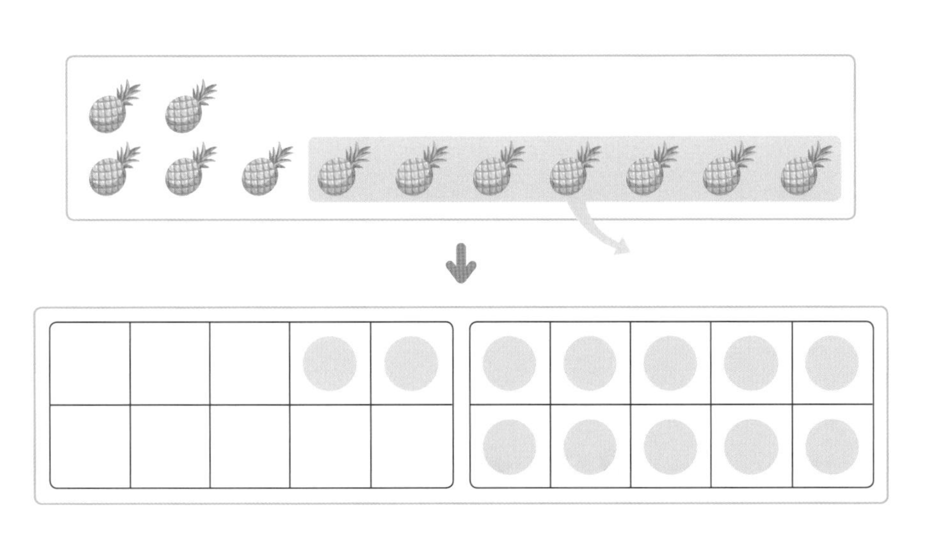

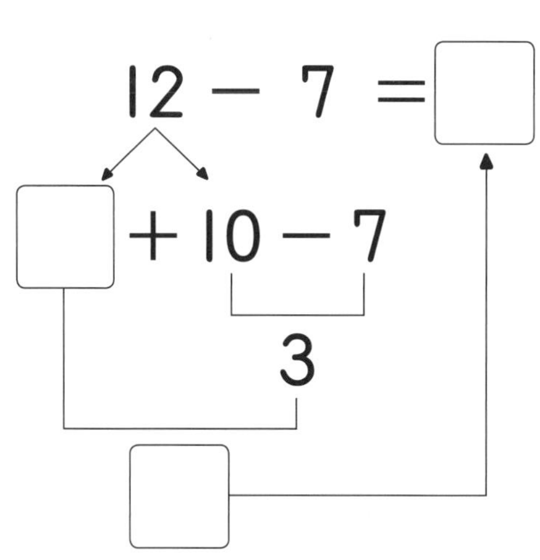

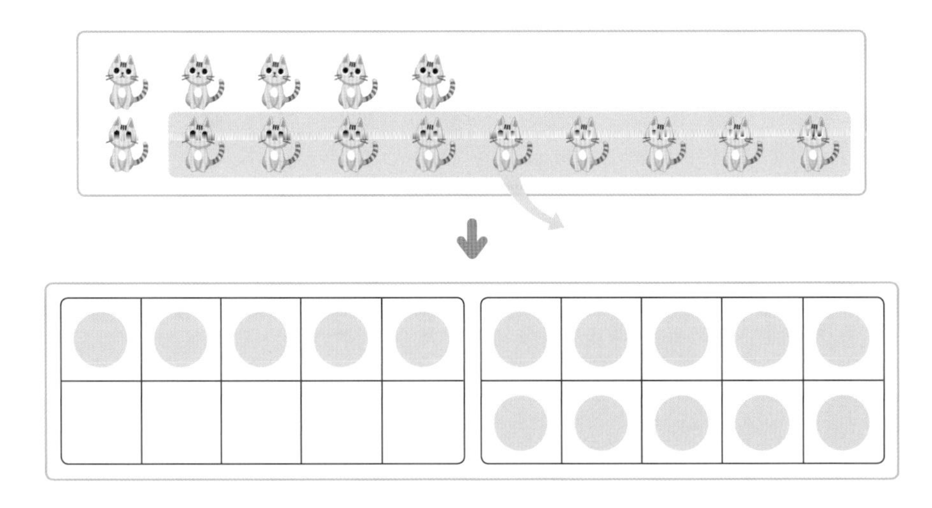

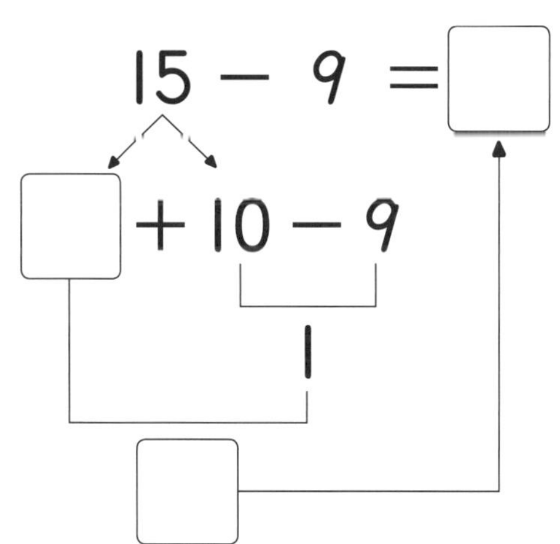

18일 10을 이용한 뺄셈 ②

그림을 보고 뺄셈을 하세요.

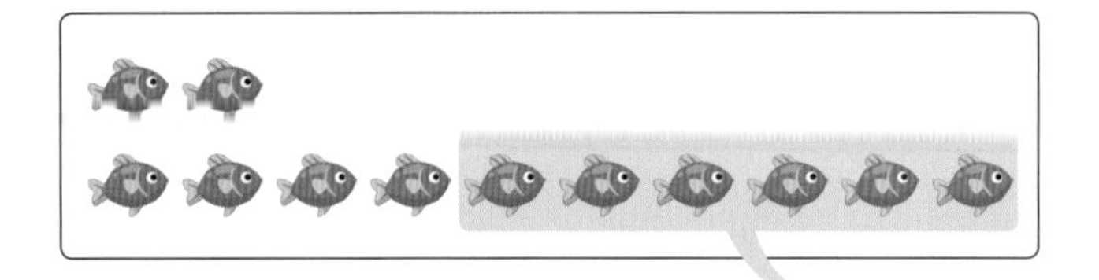

$12 - 6 = \boxed{6}$

$\boxed{2} + 10 - 6$

4

$\boxed{6}$

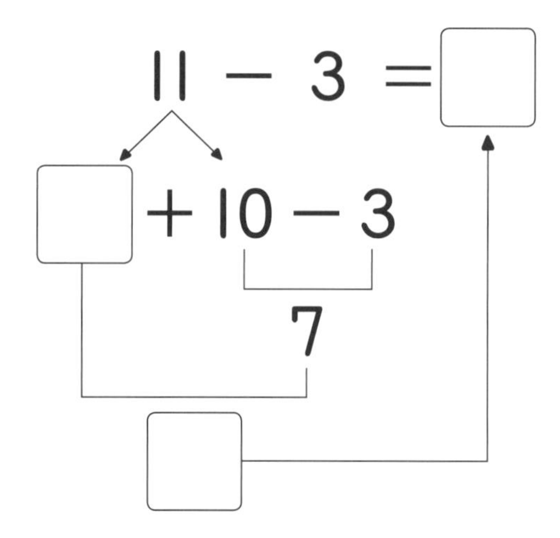

$11 - 3 = \square$

$\square + 10 - 3$

7

$\square$

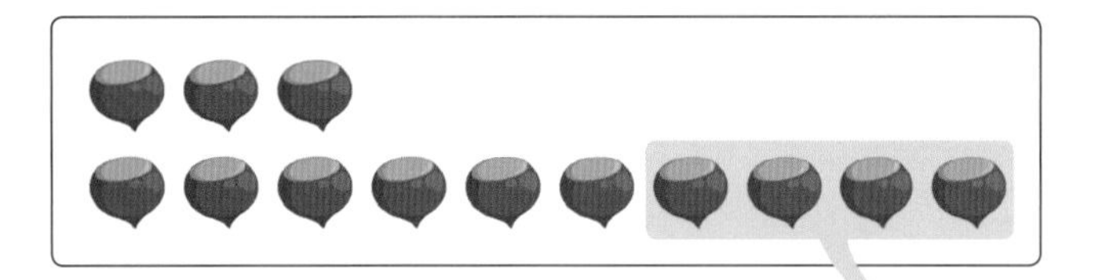

$13 - 4 = \square$

$\square + 10 - 4$

6

$\square$

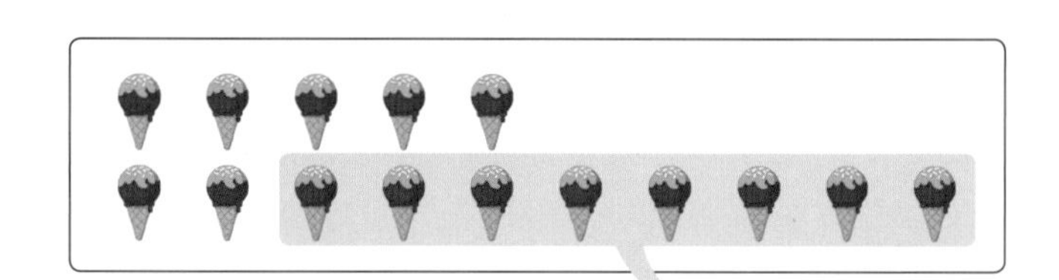

$15 - 8 = \square$

$\square + 10 - 8$

2

$\square$

정답 117쪽

뺄셈을 하세요.

$14 - 8 = \boxed{6}$

$\boxed{4} + 10 - 8$

2

$\boxed{6}$

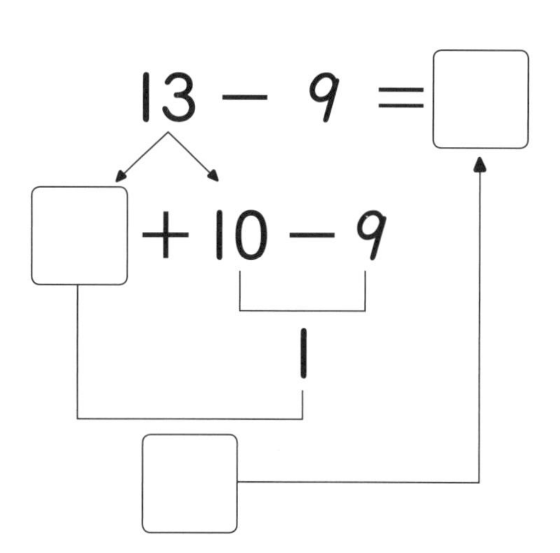

$11 - 2 = \square$

$\square + 10 - 2$

8

$\square$

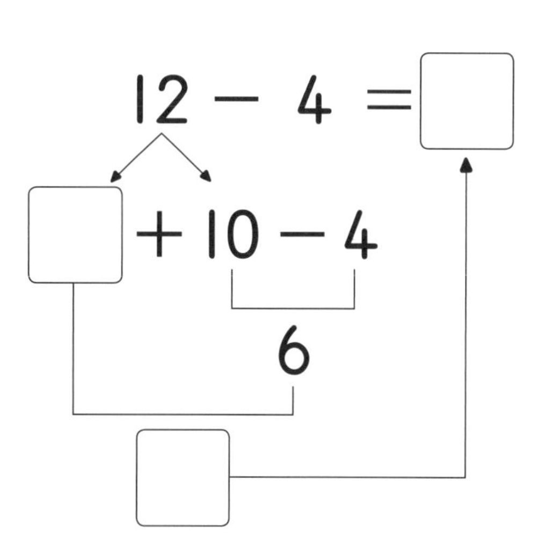

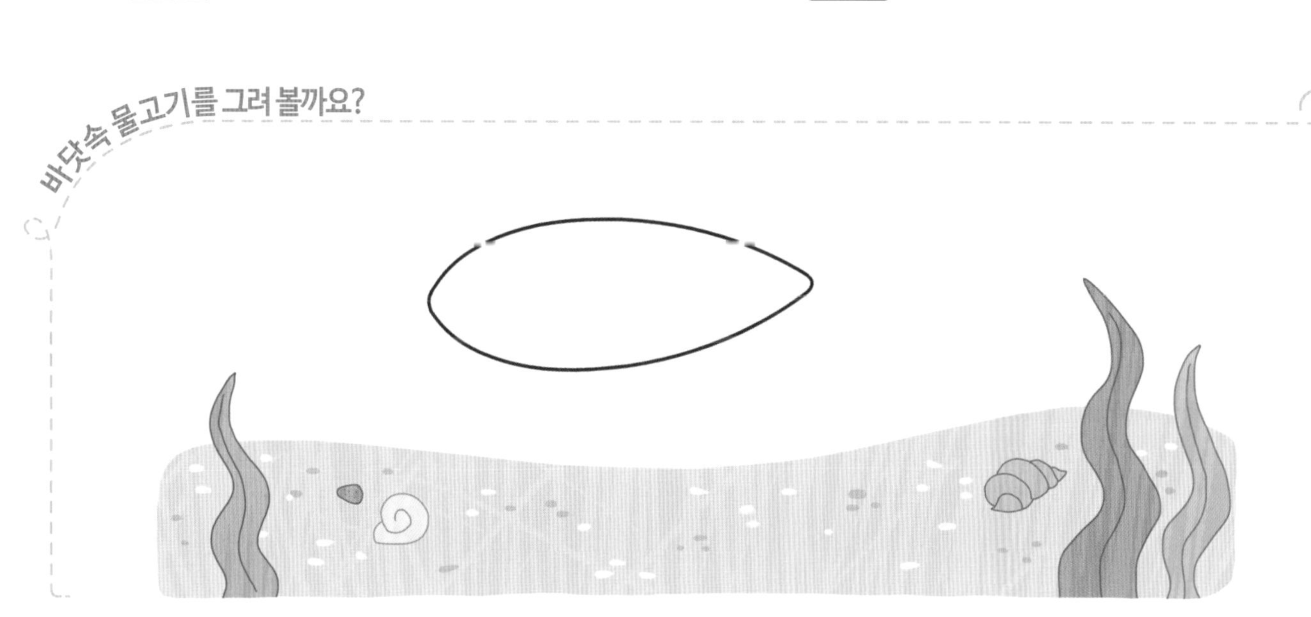

받아내림이 있는 뺄셈

뒤의 수를 가르기 하여 뺄셈을 하세요.

$14 - 7 = \square$

$14 - \square - 3$

10

$\square$

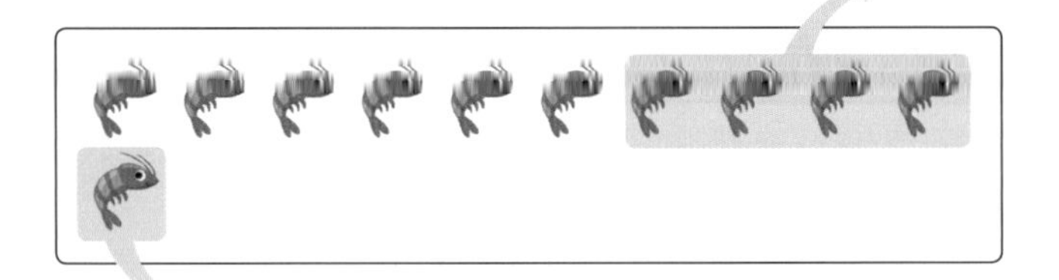

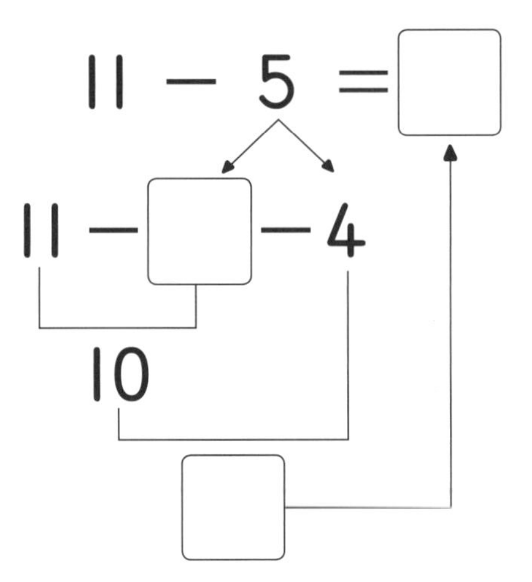

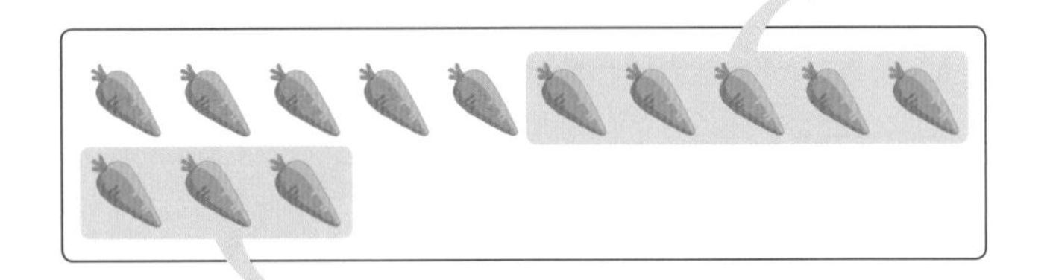

$13 - 8 = \square$

$13 - \square - 5$

10

$\square$

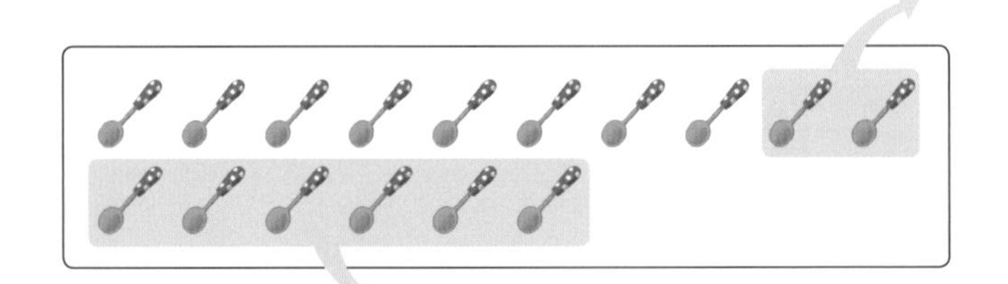

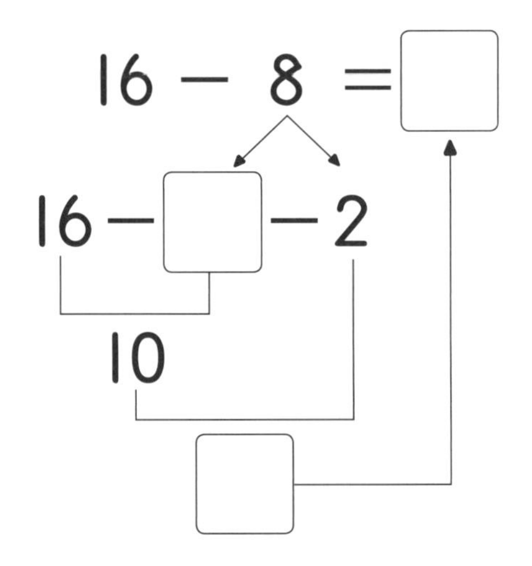

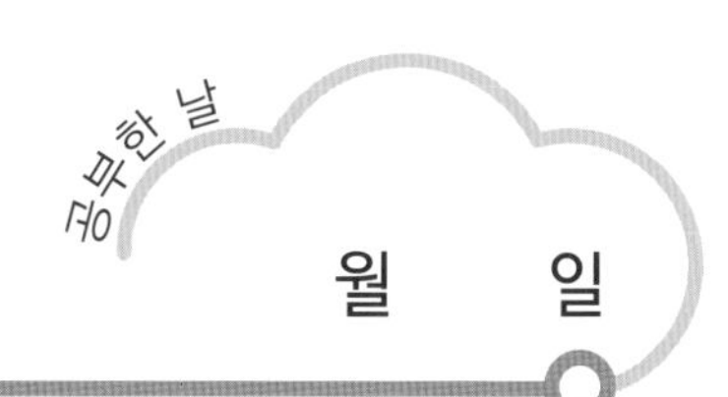

정답 118쪽

앞의 수를 가르기 하여 뺄셈을 하세요.

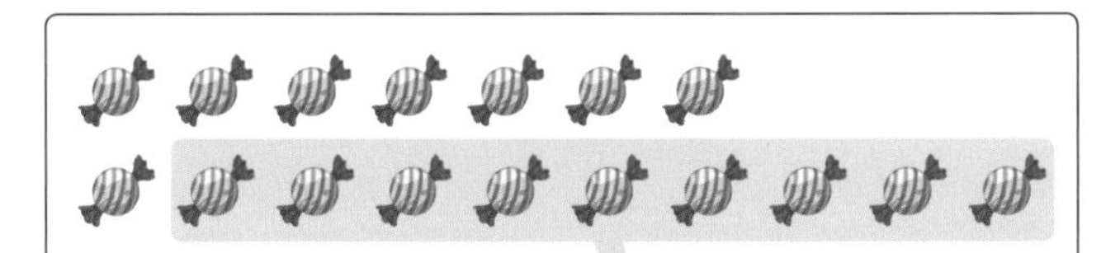

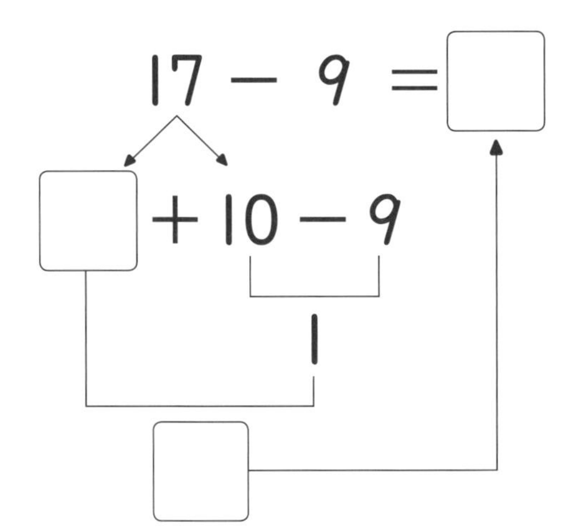

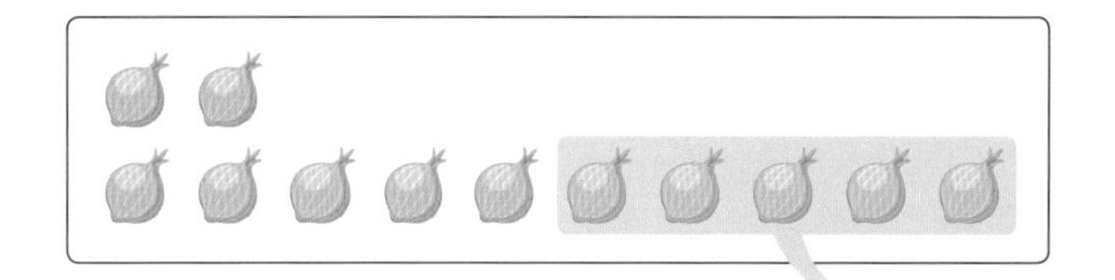

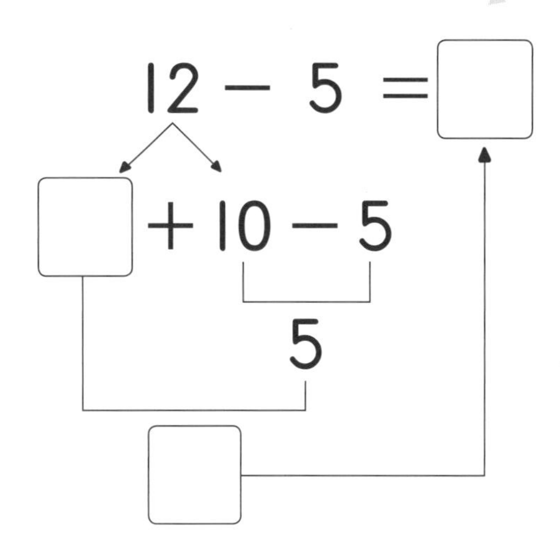

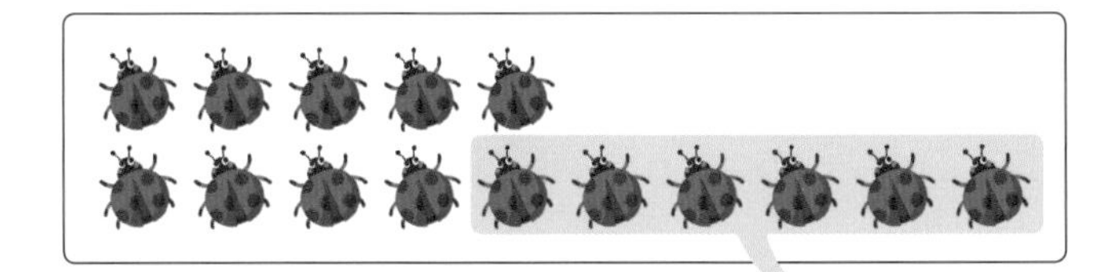

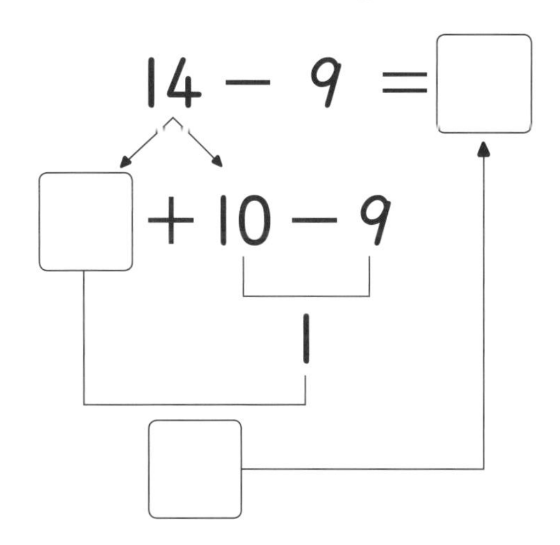

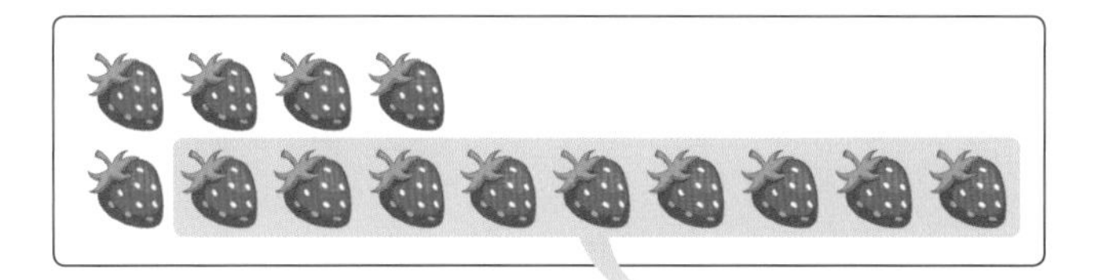

19일 받아내림이 있는 뺄셈

뺄셈을 하세요.

$12-7=\square$ $15-9=\square$

$14-5=\square$ $13-6=\square$

$16-7=\square$ $14-8=\square$

$11-9=\square$ $12-8=\square$

$15-7=\square$ $13-5=\square$

$17-8=\square$ $11-4=\square$

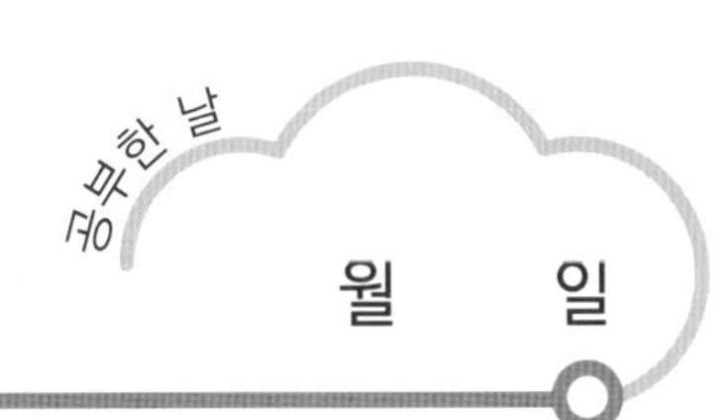

정답 118쪽

$16-9=\square$

$11-6=\square$

$13-7=\square$

$18-9=\square$

$14-6=\square$

$15-8=\square$

$11-2=\square$

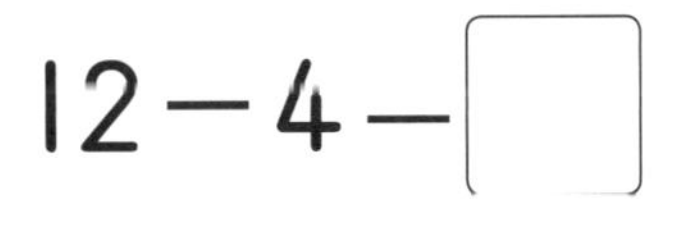

$12-4=\square$

$17-9=\square$

20일 받아올림과 받아내림이 있는 덧셈·뺄셈

덧셈을 하세요.

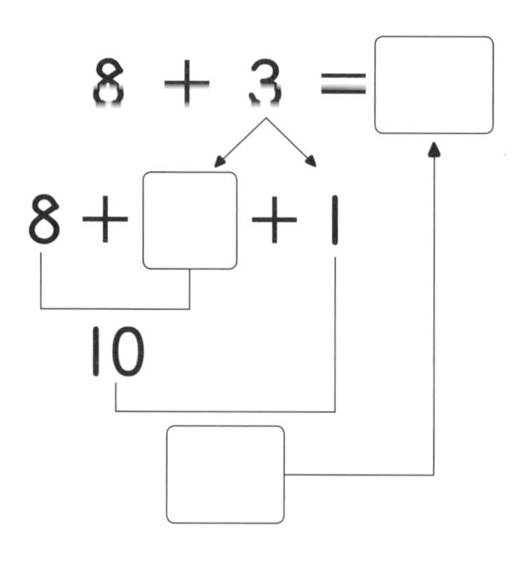

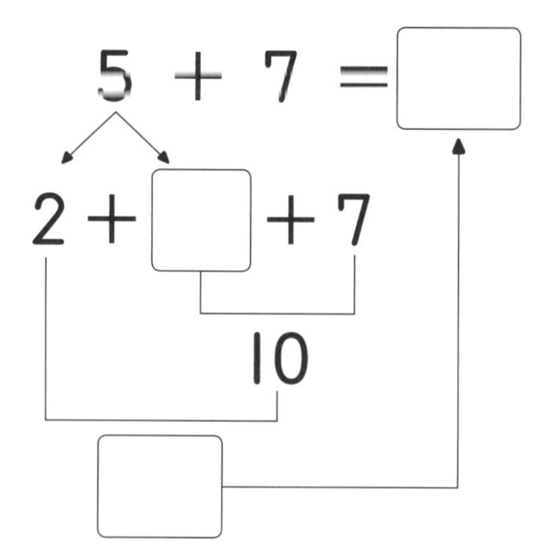

6 + 9 = ☐

5 + ☐ + 9

10

9 + 4 = ☐

9 + ☐ + 3

10

4 + 8 = ☐

4 + ☐ + 2

10

8 + 7 = ☐

5 + ☐ + 7

10

정답 118쪽

빼셈을 하세요.

$16 - 8 = \square$

$16 - \square - 2$

10

$\square$

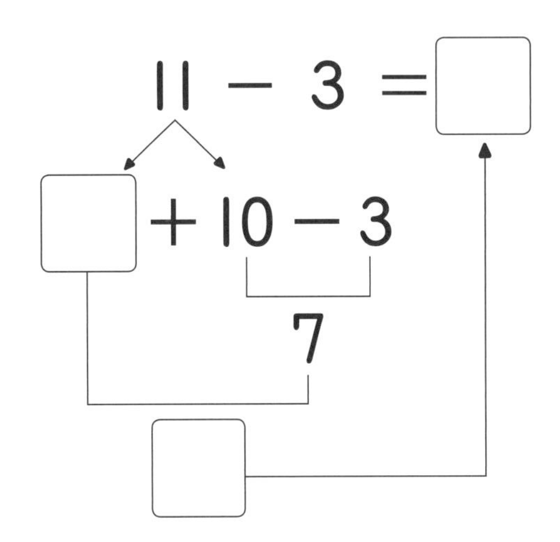

$13 - 4 = \square$

$\square + 10 - 4$

6

$\square$

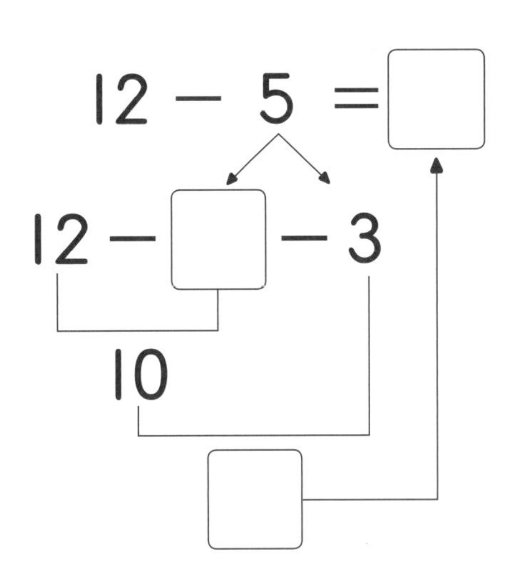

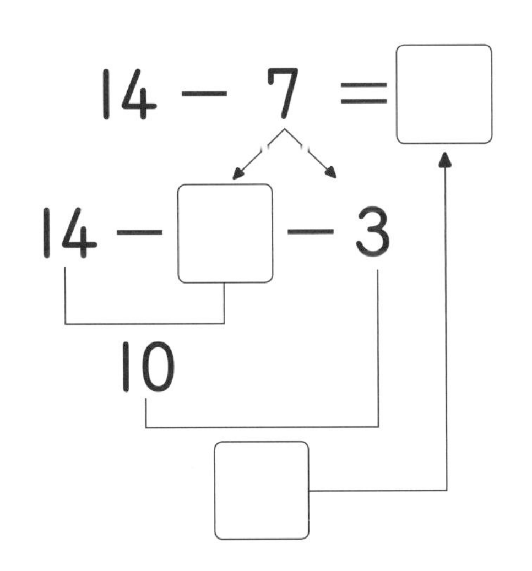

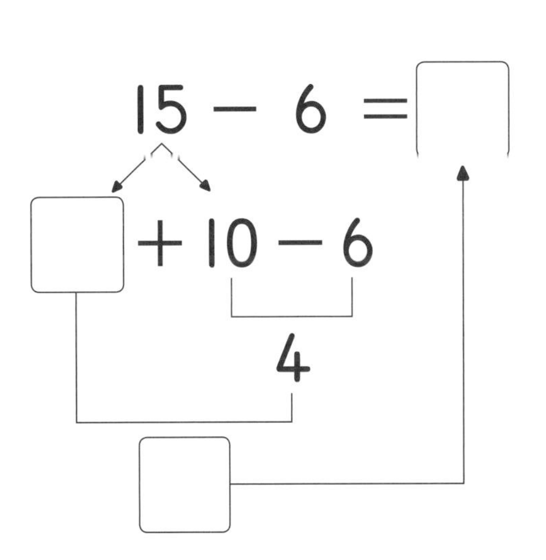

20일 받아올림과 받아내림이 있는 덧셈·뺄셈

$8+5=\square$

$11-9=\square$

$15-8=\square$

$6+6=\square$

$3+9=\square$

$14-6=\square$

$12-9=\square$

$7+6=\square$

$9+5=\square$

$18-9=\square$

$12-4=\square$

$5+6=\square$

정답 119쪽

$13-8=\square$

$8+9=\square$

$7+8=\square$

$14-8=\square$

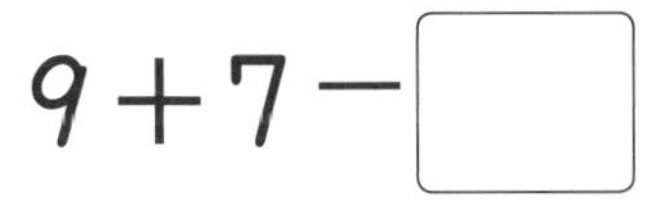

$17-8=\square$

$7+4=\square$

$11-7=\square$

$16-7=\square$

숨은 그림을 찾아요

숨은 그림

정답

주제 5

10의 덧셈과 뺄셈

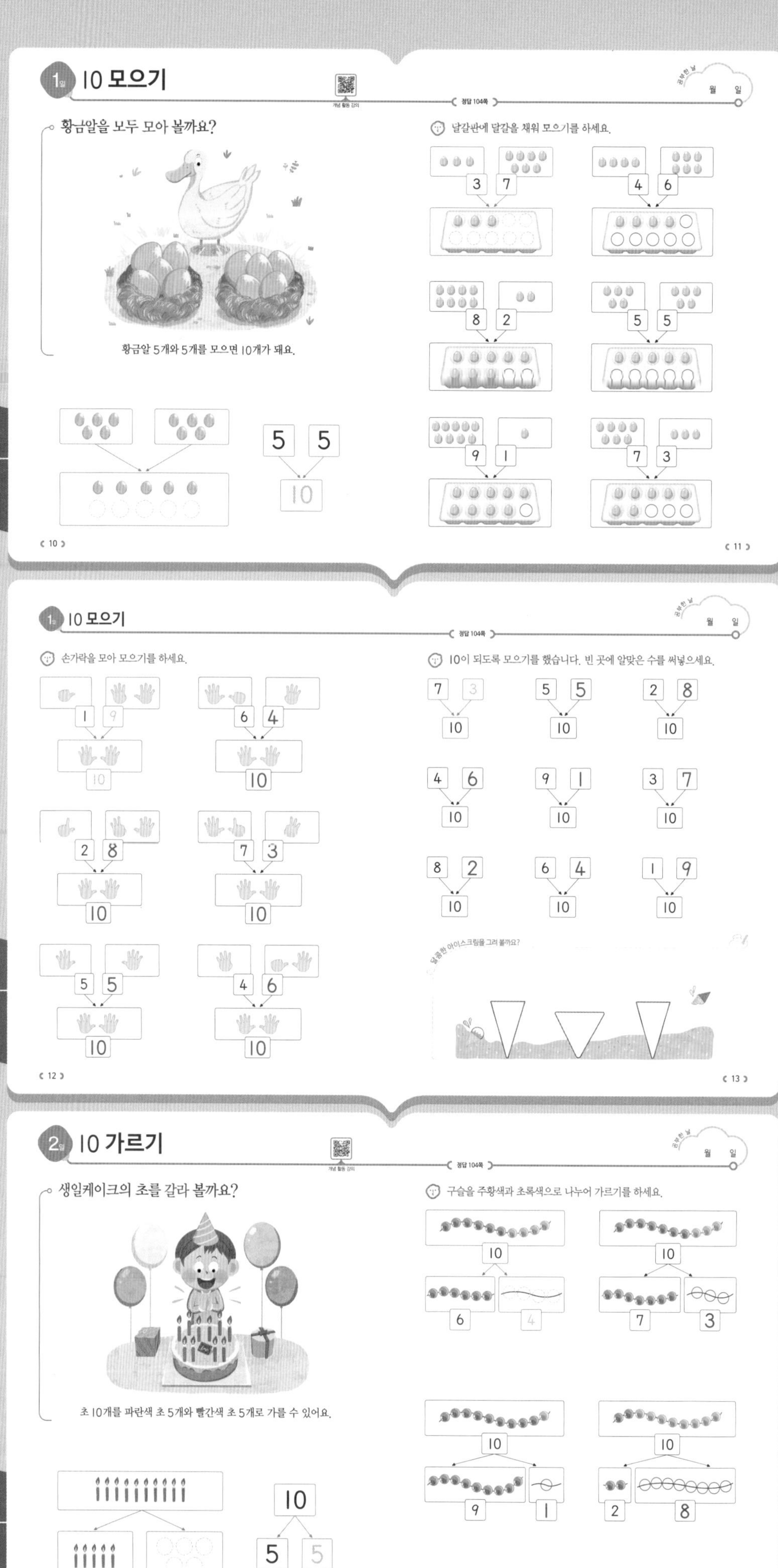
1일 10 모으기

정답 104쪽

공부한 날 월 일

황금알을 모두 모아 볼까요?

황금알 5개와 5개를 모으면 10개가 돼요.

5 5

10

달걀판에 달걀을 채워 모으기를 하세요.

3 7

4 6

8 2

5 5

9 1

7 3

‹ 10 › ‹ 11 ›

1일 10 모으기

정답 104쪽

공부한 날 월 일

손가락을 모아 모으기를 하세요.

1 9 / 10

6 4 / 10

2 8 / 10

7 3 / 10

5 5 / 10

4 6 / 10

10이 되도록 모으기를 했습니다. 빈 곳에 알맞은 수를 써넣으세요.

7 3 / 10

5 5 / 10

2 8 / 10

4 6 / 10

9 1 / 10

3 7 / 10

8 2 / 10

6 4 / 10

1 9 / 10

달콤한 아이스크림을 그려 볼까요?

‹ 12 › ‹ 13 ›

2일 10 가르기

정답 104쪽

공부한 날 월 일

생일케이크의 초를 갈라 볼까요?

초 10개를 파란색 초 5개와 빨간색 초 5개로 가를 수 있어요.

10

5 5

구슬을 주황색과 초록색으로 나누어 가르기를 하세요.

10 / 6 4

10 / 7 3

10 / 9 1

10 / 2 8

‹ 14 › ‹ 15 ›

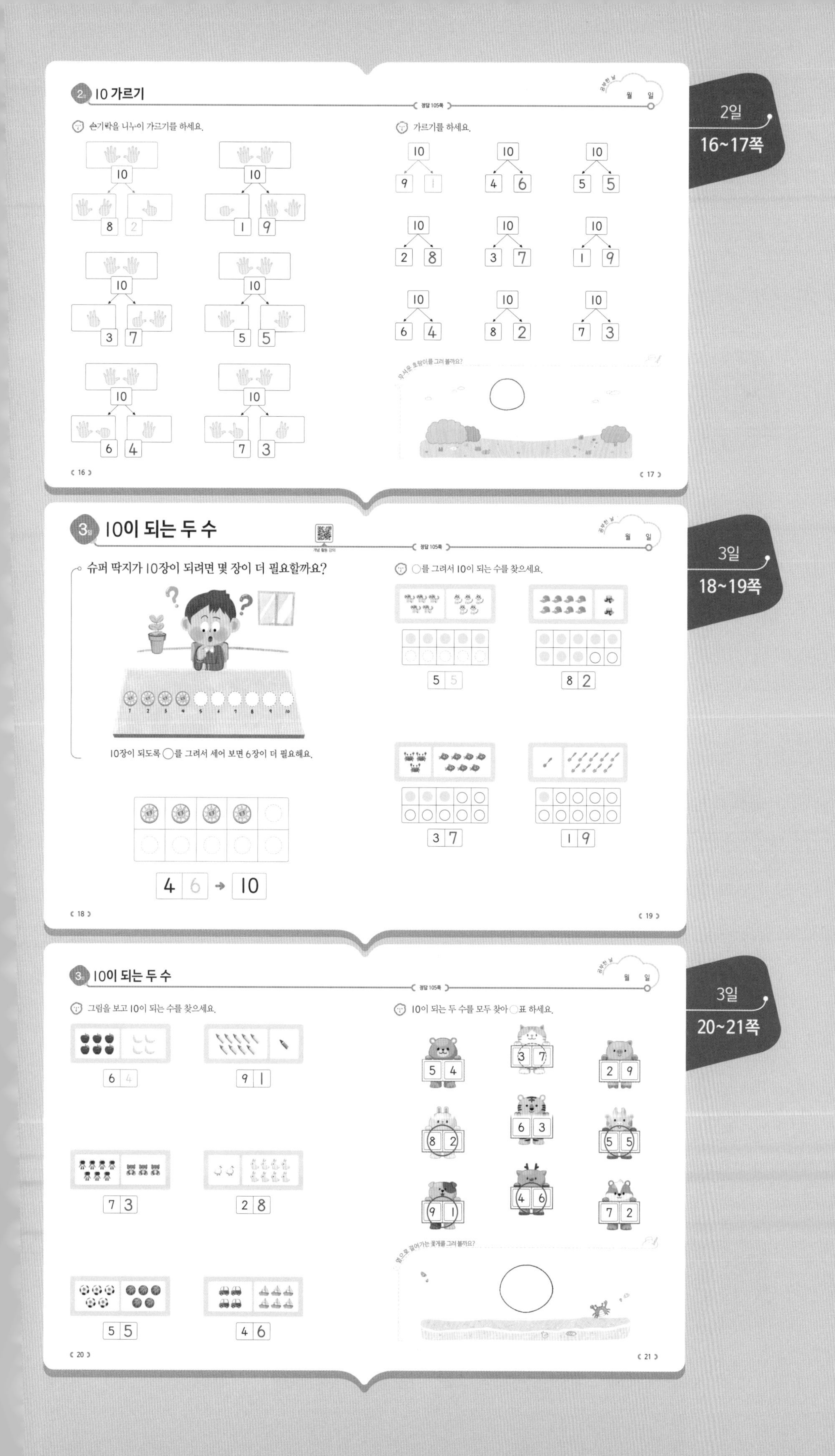

2일
16~17쪽

3일
18~19쪽

3일
20~21쪽

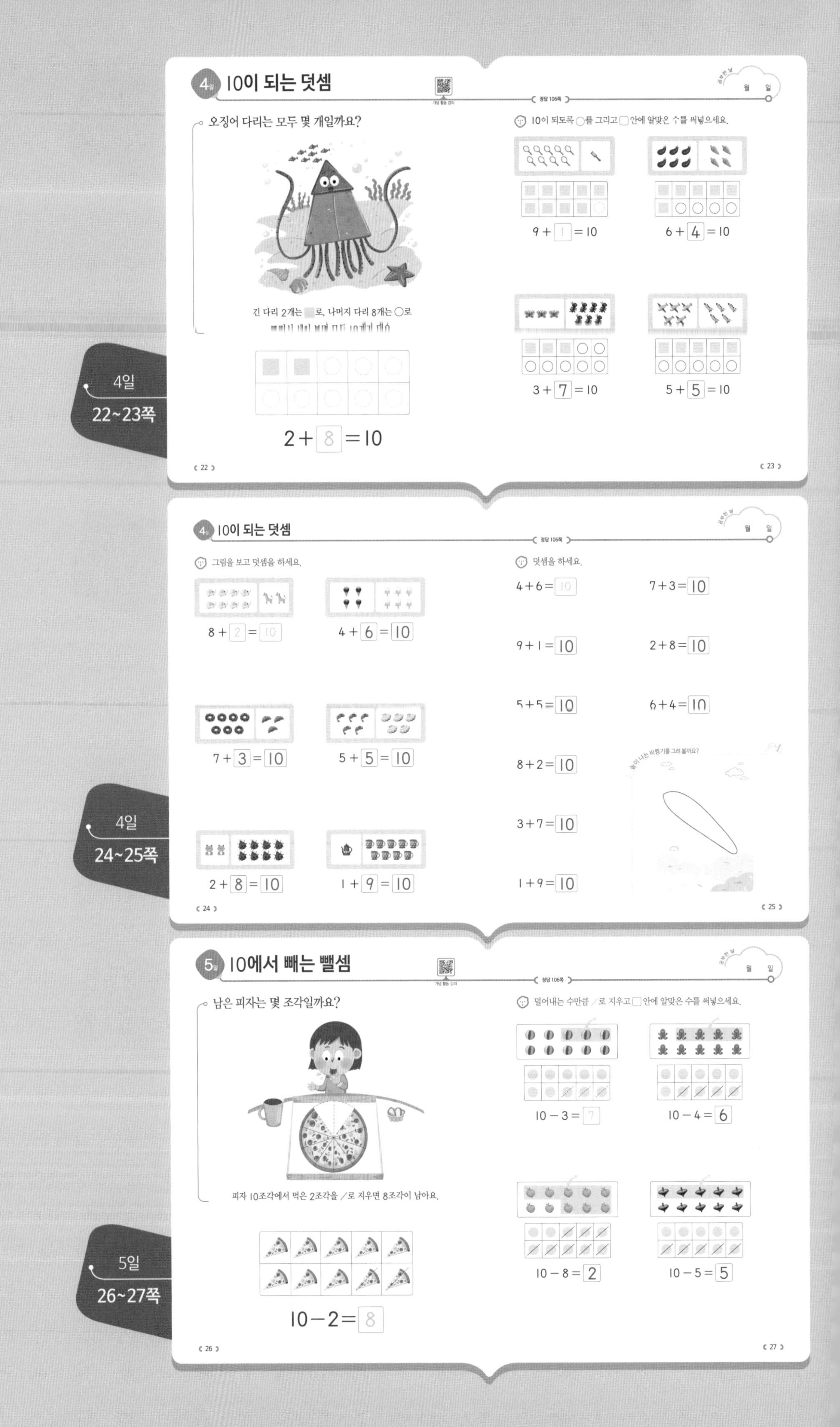

4일 22~23쪽

4일 10이 되는 덧셈

정답 106쪽

공부한 날 월 일

오징어 다리는 모두 몇 개일까요?

긴 다리 2개는 ■로, 나머지 다리 8개는 ○로

2+8=10

10이 되도록 ○를 그리고 □ 안에 알맞은 수를 써넣으세요.

9+1=10

6+4=10

3+7=10

5+5=10

‹ 22 › ‹ 23 ›

4일 24~25쪽

4일 10이 되는 덧셈

정답 106쪽

공부한 날 월 일

그림을 보고 덧셈을 하세요.

8+2=10

4+6=10

7+3=10

5+5=10

2+8=10

1+9=10

덧셈을 하세요.

4+6=10

7+3=10

9+1=10

2+8=10

5+5=10

6+4=10

8+2=10

3+7=10

1+9=10

‹ 24 › ‹ 25 ›

5일 26~27쪽

5일 10에서 빼는 뺄셈

정답 106쪽

공부한 날 월 일

남은 피자는 몇 조각일까요?

피자 10조각에서 먹은 2조각을 ／로 지우면 8조각이 남아요.

10－2=8

덜어내는 수만큼 ／로 지우고 □ 안에 알맞은 수를 써넣으세요.

10－3=7

10－4=6

10－8=2

10－5=5

‹ 26 › ‹ 27 ›

5일
28~29쪽

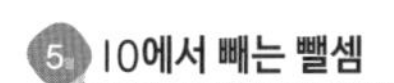

5 10에서 빼는 뺄셈

정답 107쪽

공부한 날 월 일

그림을 보고 뺄셈을 하세요.

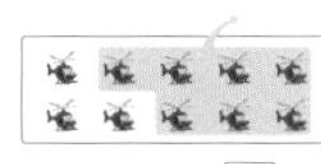

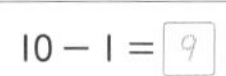

$10 - 1 = 9$　　$10 - 7 = 3$

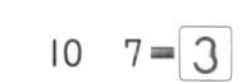
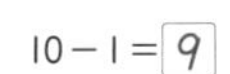
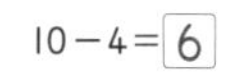
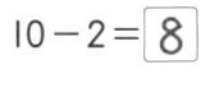

$10 - 2 = 8$　　$10 - 5 = 5$

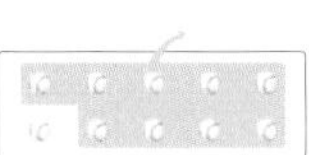
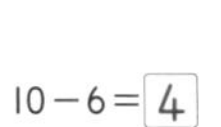

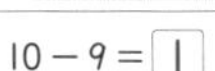
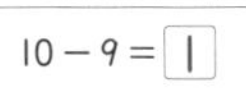
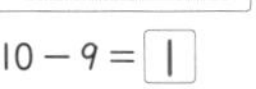
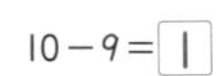

$10 - 9 = 1$　　$10 - 3 = 7$

뺄셈을 하세요.

$10 - 8 = 2$　　$10 - 3 = 7$

$10 - 5 = 5$　　$10 - 7 = 3$

$10 - 1 = 9$　　$10 - 4 = 6$

$10 - 2 = 8$

$10 - 6 = 4$

$10 - 9 = 1$

28　　29

주제 6

세 수의 덧셈과 뺄셈

6일 34~35쪽

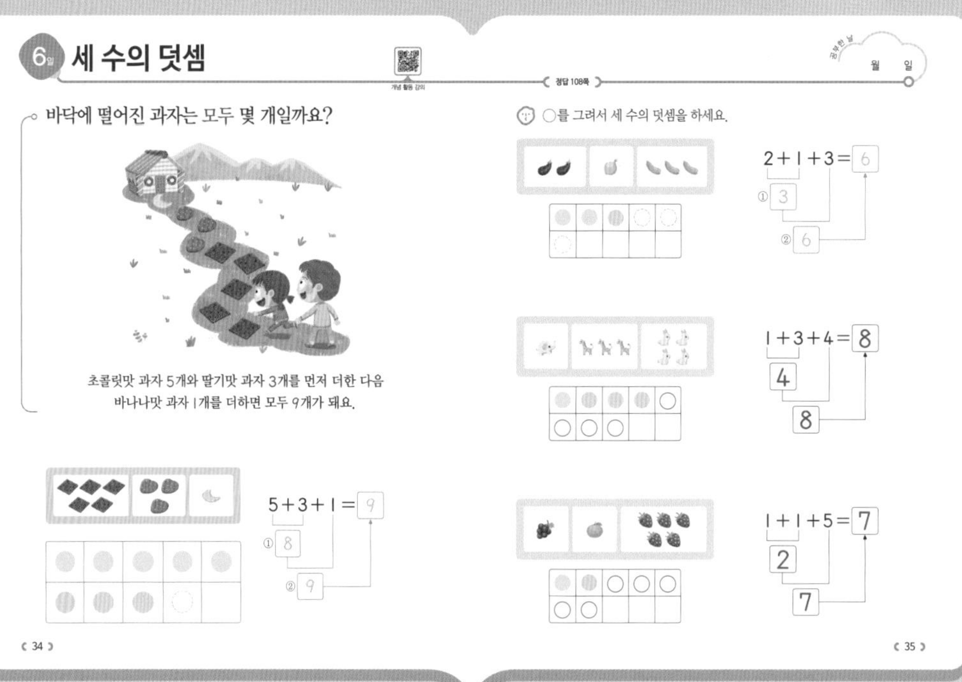
6일 세 수의 덧셈

정답 108쪽

공부한 날 월 일

바닥에 떨어진 과자는 모두 몇 개일까요?

초콜릿맛 과자 5개와 딸기맛 과자 3개를 먼저 더한 다음 바나나맛 과자 1개를 더하면 모두 9개가 돼요.

5+3+1=9 ① 8 ② 9

○를 그려서 세 수의 덧셈을 하세요.

2+1+3=6 ① 3 ② 6

1+3+4=8 4 8

1+1+5=7 2 7

34 35

6일 36~37쪽

7일 38~39쪽

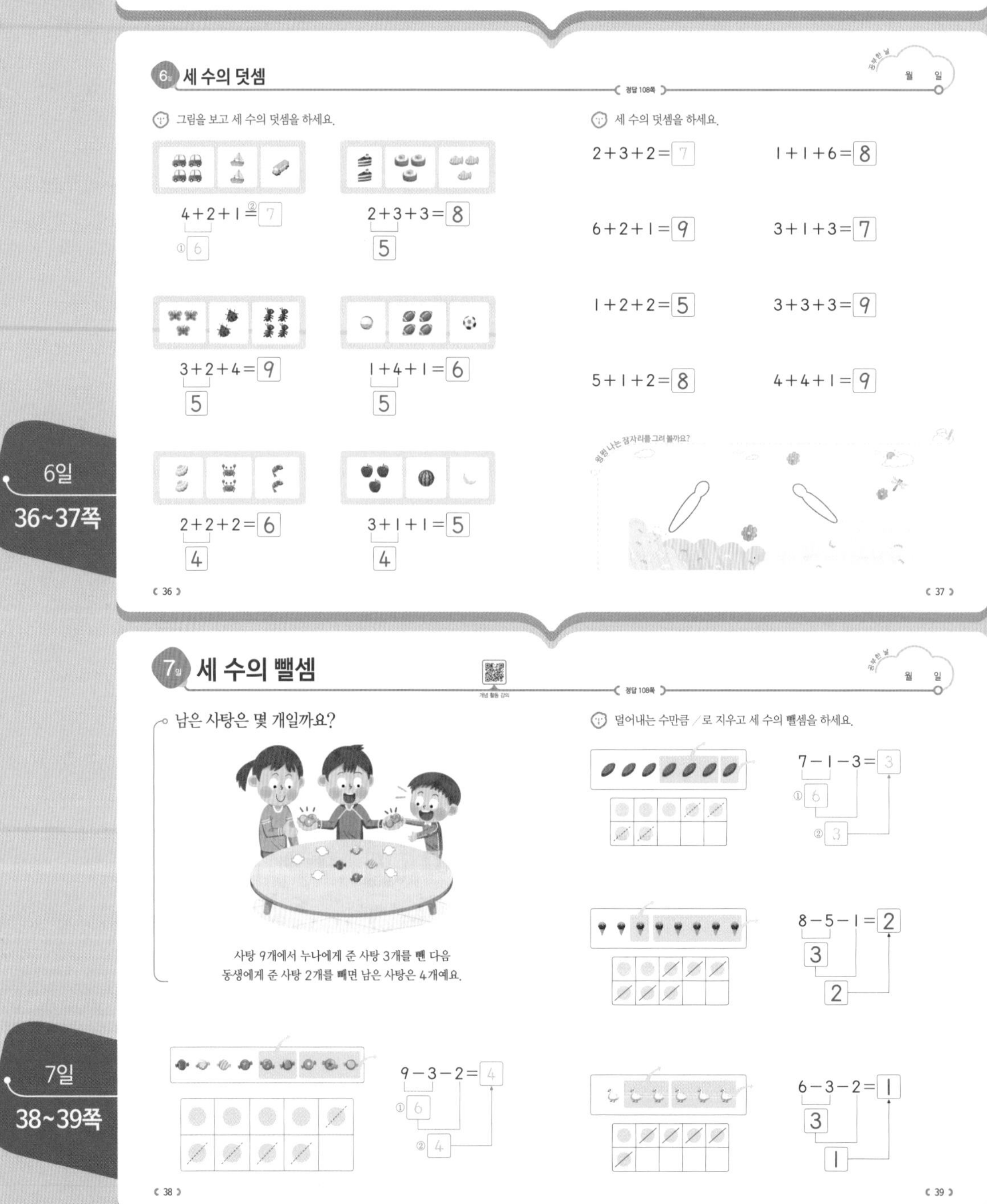
6일 세 수의 덧셈

정답 108쪽

공부한 날 월 일

그림을 보고 세 수의 덧셈을 하세요.

4+2+1=7 ① 6

2+3+3=8 5

3+2+4=9 5

1+4+1=6 5

2+2+2=6 4

3+1+1=5 4

세 수의 덧셈을 하세요.

2+3+2=7 1+1+6=8

6+2+1=9 3+1+3=7

1+2+2=5 3+3+3=9

5+1+2=8 4+4+1=9

36 37

7일 세 수의 뺄셈

정답 108쪽

공부한 날 월 일

남은 사탕은 몇 개일까요?

사탕 9개에서 누나에게 준 사탕 3개를 뺀 다음 동생에게 준 사탕 2개를 빼면 남은 사탕은 4개예요.

9−3−2=4 ① 6 ② 4

덜어내는 수만큼 ／로 지우고 세 수의 뺄셈을 하세요.

7−1−3=3 ① 6 ② 3

8−5−1=2 3 2

6−3−2=1 3 1

38 39

7일
40~41쪽

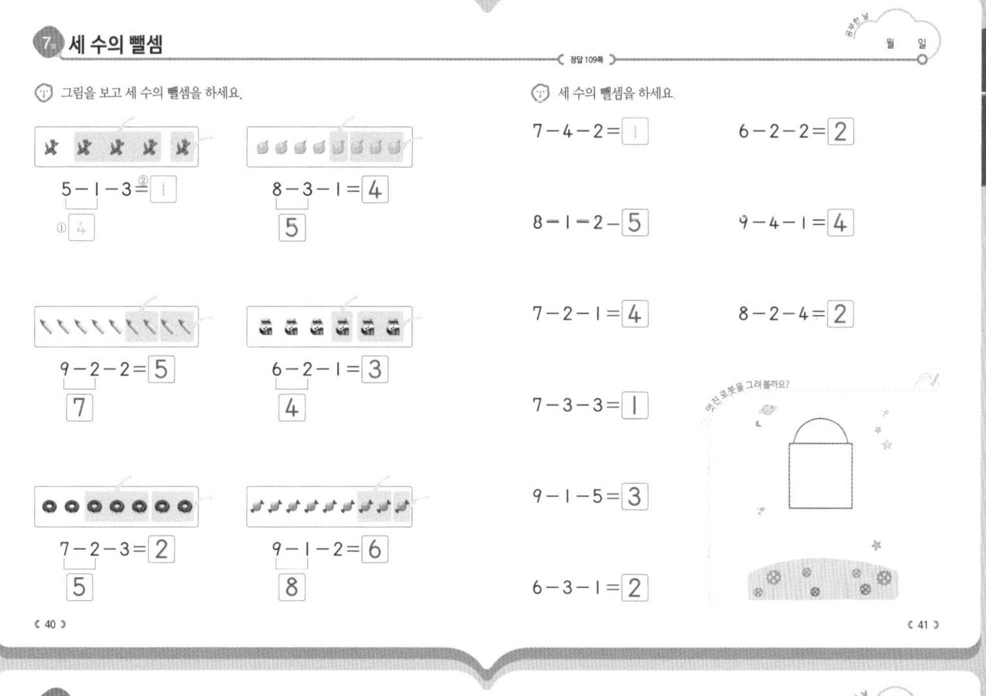

7일 세 수의 뺄셈

정답 109쪽

공부한 날 월 일

그림을 보고 세 수의 뺄셈을 하세요.

5 − 1 − 3 = ② 1, ① 4

8 − 3 − 1 = 4, 5

9 − 2 − 2 = 5, 7

6 − 2 − 1 = 3, 4

7 − 2 − 3 = 2, 5

9 − 1 − 2 = 6, 8

세 수의 뺄셈을 하세요.

7 − 4 − 2 = 1

6 − 2 − 2 = 2

8 − 1 − 2 = 5

9 − 4 − 1 = 4

7 − 2 − 1 = 4

8 − 2 − 4 = 2

7 − 3 − 3 = 1

9 − 1 − 5 = 3

6 − 3 − 1 = 2

멋진 로봇을 그려 볼까요?

《 40 》 《 41 》

8일
42~43쪽

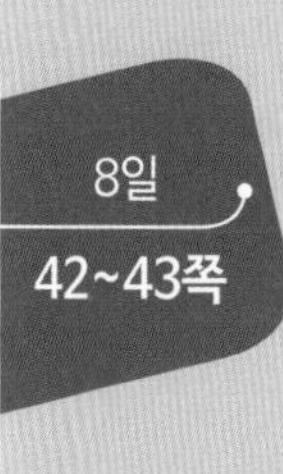

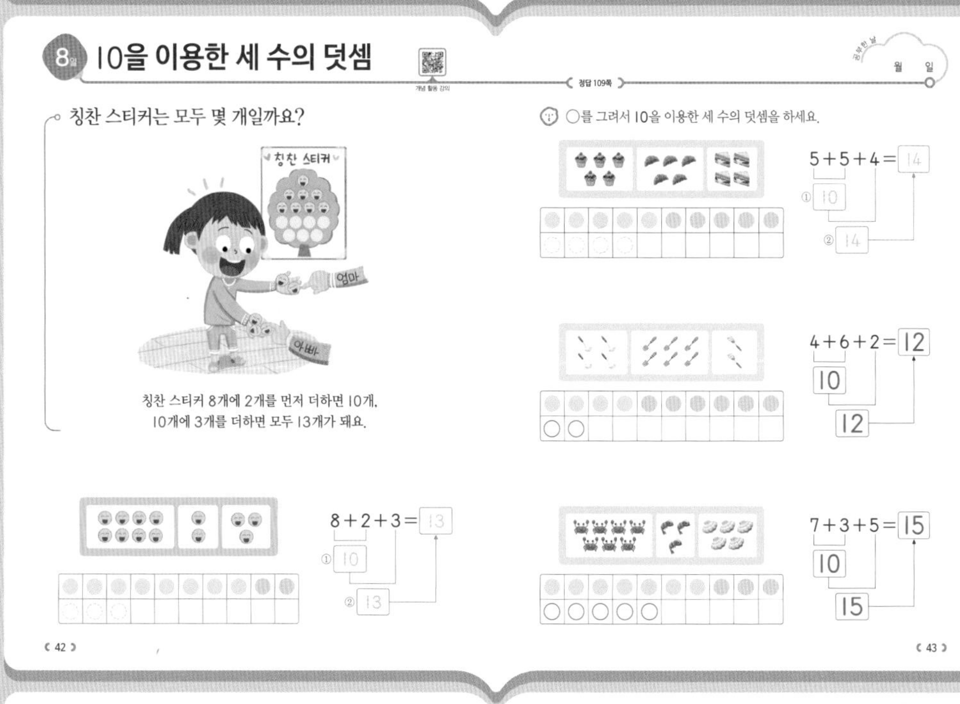

8일 10을 이용한 세 수의 덧셈

개념 활용 강의

정답 109쪽

공부한 날 월 일

칭찬 스티커는 모두 몇 개일까요?

칭찬 스티커

엄마

아빠

칭찬 스티커 8개에 2개를 먼저 더하면 10개,
10개에 3개를 더하면 모두 13개가 돼요.

8 + 2 + 3 = 13, ① 10, ② 13

○를 그려서 10을 이용한 세 수의 덧셈을 하세요.

5 + 5 + 4 = 14, ① 10, ② 14

4 + 6 + 2 = 12, 10, 12

7 + 3 + 5 = 15, 10, 15

《 42 》 《 43 》

8일
44~45쪽

8일 10을 이용한 세 수의 덧셈

정답 109쪽

공부한 날 월 일

그림을 보고 10을 이용한 세 수의 덧셈을 하세요.

2 + 8 + 1 = ② 11, ① 10

6 + 1 + 9 = 16, 10

5 + 6 + 4 = 15, 10

3 + 7 + 4 = 14, 10

5 + 5 + 2 = 12, 10

7 + 8 + 2 = 17, 10

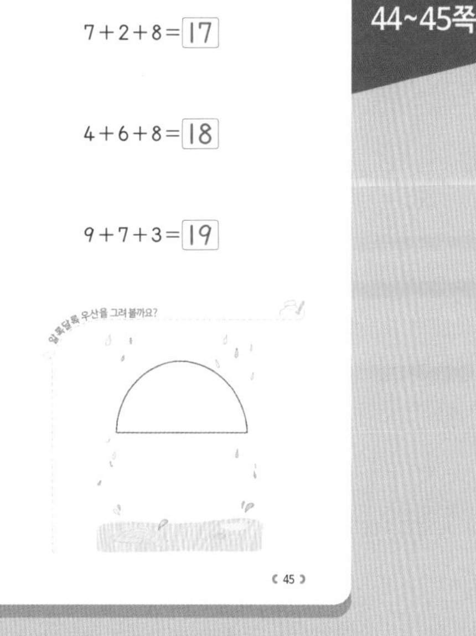

10을 이용한 세 수의 덧셈을 하세요.

1 + 9 + 2 = 12

7 + 2 + 8 = 17

3 + 5 + 5 = 13

4 + 6 + 8 = 18

8 + 2 + 6 = 16

9 + 7 + 3 = 19

9 + 1 + 4 = 14

5 + 6 + 4 = 15

3 + 7 + 1 = 11

알록달록 우산을 그려 볼까요?

《 44 》 《 45 》

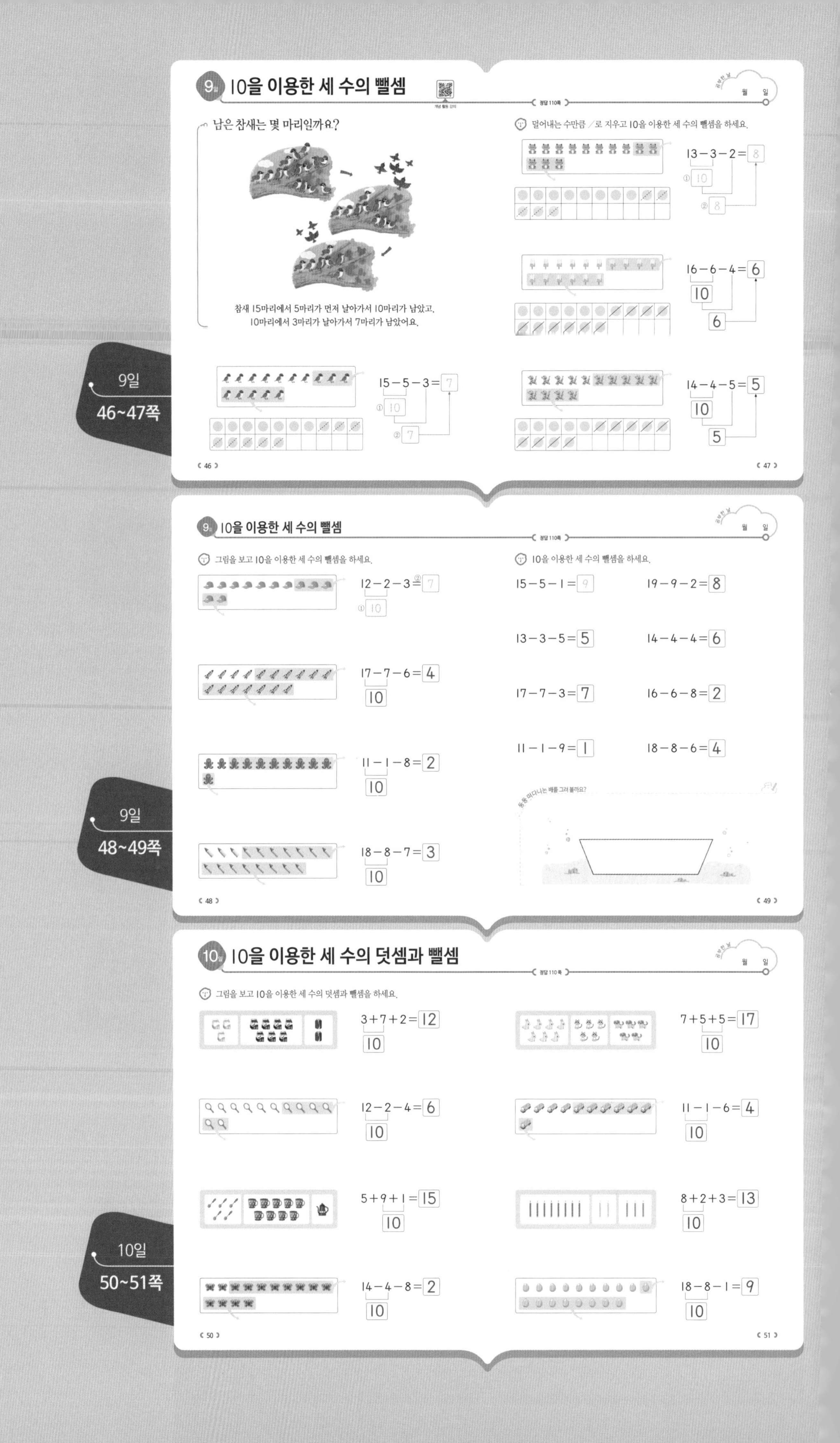

9일
46~47쪽

9일 10을 이용한 세 수의 뺄셈

정답 110쪽

남은 참새는 몇 마리일까요?

참새 15마리에서 5마리가 먼저 날아가서 10마리가 남았고,
10마리에서 3마리가 날아가서 7마리가 남았어요.

$15-5-3=7$ ① 10 ② 7

덜어내는 수만큼 ／로 지우고 10을 이용한 세 수의 뺄셈을 하세요.

$13-3-2=8$ ① 10 ② 8

$16-6-4=6$ 10 6

$14-4-5=5$ 10 5

46 47

9일
48~49쪽

9일 10을 이용한 세 수의 뺄셈

정답 110쪽

그림을 보고 10을 이용한 세 수의 뺄셈을 하세요.

$12-2-3=7$ ① 10 ②

$17-7-6=4$ 10

$11-1-8=2$ 10

$18-8-7=3$ 10

10을 이용한 세 수의 뺄셈을 하세요.

$15-5-1=9$

$19-9-2=8$

$13-3-5=5$

$14-4-4=6$

$17-7-3=7$

$16-6-8=2$

$11-1-9=1$

$18-8-6=4$

둥둥 떠다니는 배를 그려 볼까요?

48 49

10일
50~51쪽

10일 10을 이용한 세 수의 덧셈과 뺄셈

정답 110쪽

그림을 보고 10을 이용한 세 수의 덧셈과 뺄셈을 하세요.

$3+7+2=12$ 10

$7+5+5=17$ 10

$12-2-4=6$ 10

$11-1-6=4$ 10

$5+9+1=15$ 10

$8+2+3=13$ 10

$14-4-8=2$ 10

$18-8-1=9$ 10

50 51

10일
52~53쪽

10 10을 이용한 세 수의 덧셈과 뺄셈

공부한 날 월 일

정답 111쪽

10을 이용한 세 수의 덧셈과 뺄셈을 하세요.

7+3+8=18	16−6−5=5	7+1+9=17	11−1−9=1
1+2+8=11	13−3−1−9	18−8−4−6	8+2+4=14
6+4+4=14	15−5−7=3	3+7+5=15	16−6−7=3
1+9+3=13	17−7−9=1	14−4−2=8	
2+5+5=12	12−2−6=4	3+6+4=13	
6+6+4=16	19−9−3=7	15−5−3=7	

우리집을 그려 볼까요?

〈 52 〉 〈 53 〉

주제 7

받아올림이 있는 덧셈

11일 58~59쪽

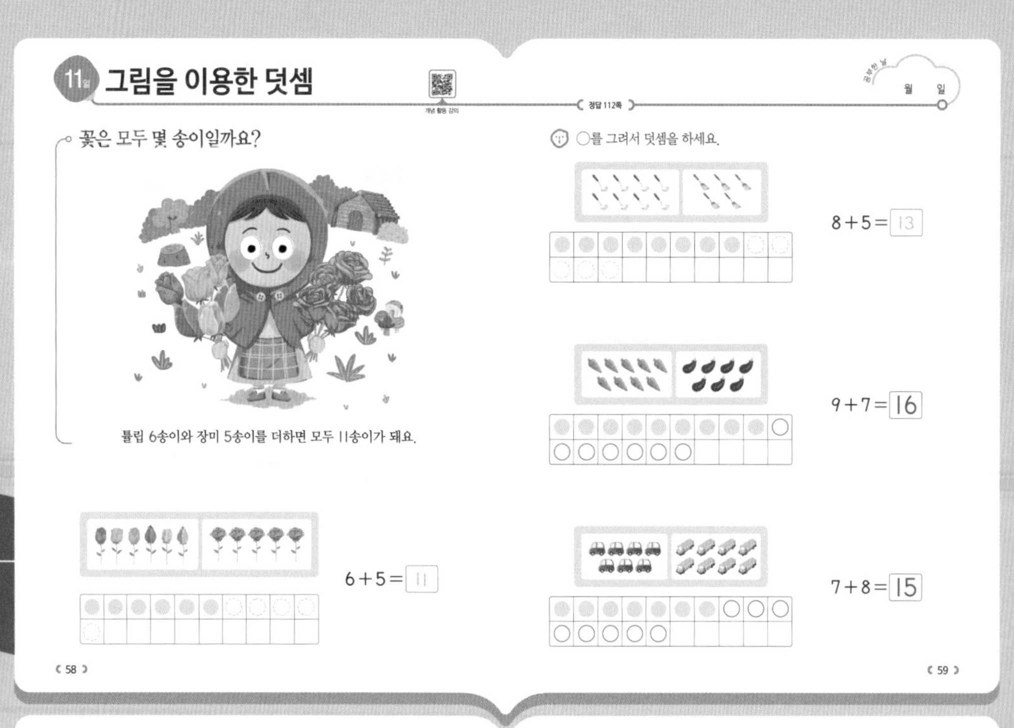

11일 그림을 이용한 덧셈
꽃은 모두 몇 송이일까요?
튤립 6송이와 장미 5송이를 더하면 모두 11송이가 돼요.
6+5=11
○를 그려서 덧셈을 하세요.
8+5=13
9+7=16
7+8=15
58
59

11일 60~61쪽

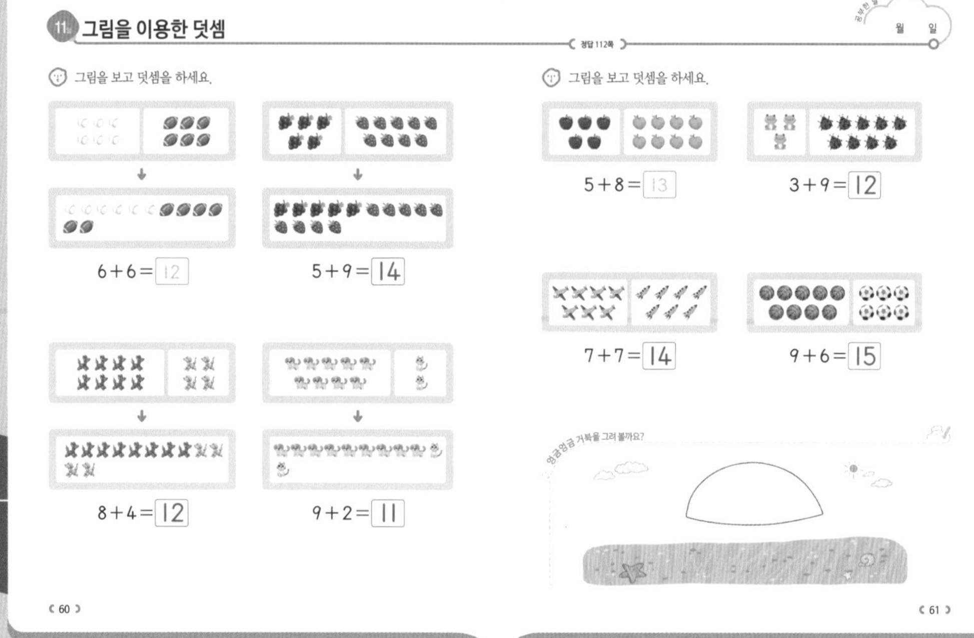

12일 62~63쪽

12일 10을 이용한 모으기와 가르기

동그라미 쿠키와 네모 쿠키를 상자에 담아 볼까요?

동그라미 쿠키 4개, 네모 쿠키 8개를 모으면 쿠키는 12개가 돼요.
쿠키 12개를 10칸짜리 상자에 담으면 상자를 채우고 2개가 남아요.

4, 8 → 12 → 10, 2

○를 그려서 10을 이용한 모으기와 가르기를 하세요.

4, 7 → 11 → 11 → 10, 1

6, 6 → 12 → 12 → 10, 2

62

63

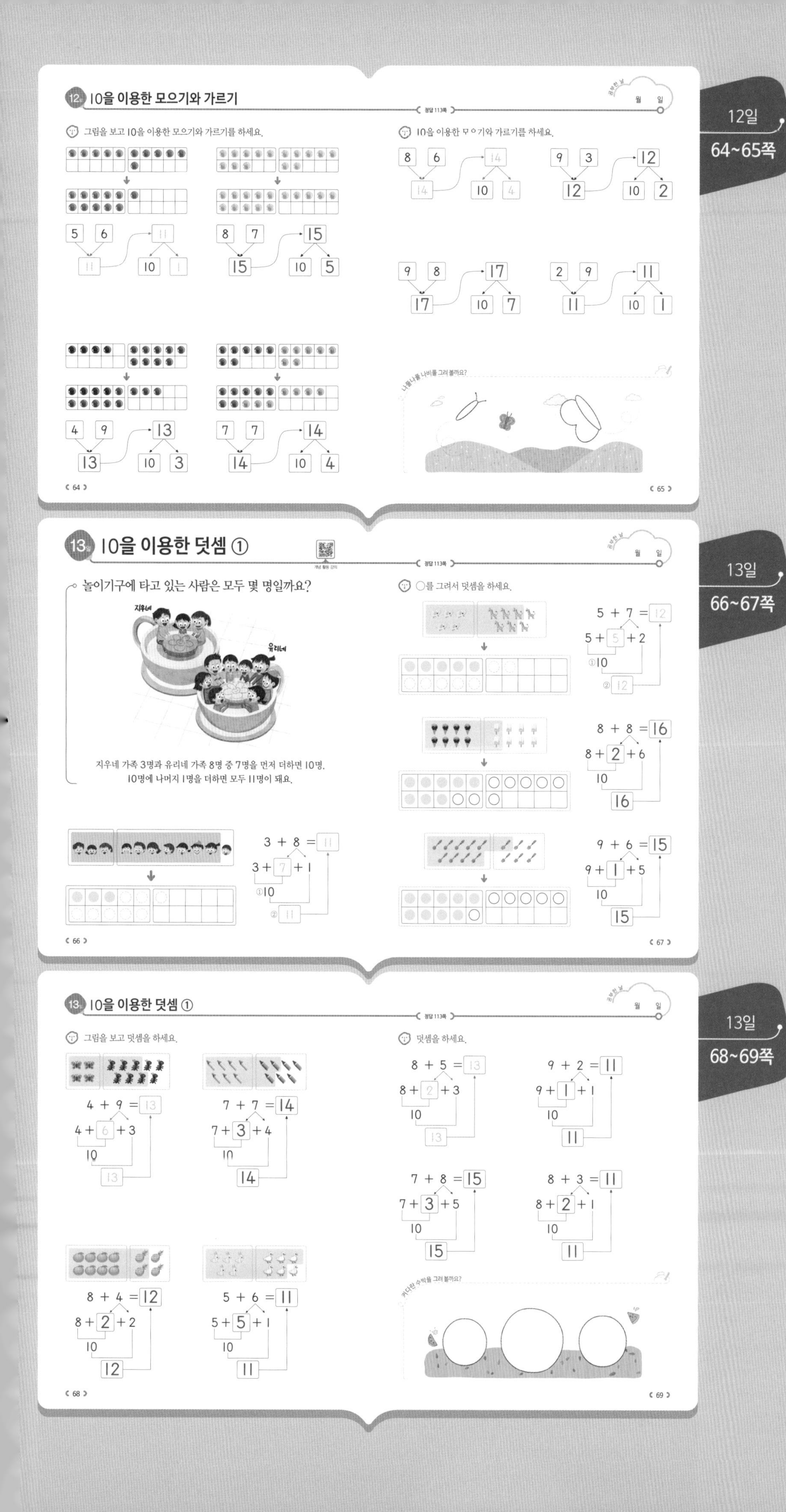

12일 10을 이용한 모으기와 가르기

정답 113쪽

그림을 보고 10을 이용한 모으기와 가르기를 하세요.

5, 6 → 11 → 10, 1

8, 7 → 15 → 10, 5

4, 9 → 13 → 10, 3

7, 7 → 14 → 10, 4

10을 이용한 모으기와 가르기를 하세요.

8, 6 → 14 → 10, 4

9, 3 → 12 → 10, 2

9, 8 → 17 → 10, 7

2, 9 → 11 → 10, 1

나풀나풀 나비를 그려 볼까요?

《 64 》 《 65 》

13일 10을 이용한 덧셈 ①

정답 113쪽

놀이기구에 타고 있는 사람은 모두 몇 명일까요?

지우네

유리네

지우네 가족 3명과 유리네 가족 8명 중 7명을 먼저 더하면 10명.
10명에 나머지 1명을 더하면 모두 11명이 돼요.

3 + 8 = 11
3 + 7 + 1
①10
② 11

○를 그려서 덧셈을 하세요.

5 + 7 = 12
5 + 5 + 2
①10
② 12

8 + 8 = 16
8 + 2 + 6
10
16

9 + 6 = 15
9 + 1 + 5
10
15

《 66 》 《 67 》

13일 10을 이용한 덧셈 ①

정답 113쪽

그림을 보고 덧셈을 하세요.

4 + 9 = 13
4 + 6 + 3
10
13

7 + 7 = 14
7 + 3 + 4
10
14

8 + 4 = 12
8 + 2 + 2
10
12

5 + 6 = 11
5 + 5 + 1
10
11

덧셈을 하세요.

8 + 5 = 13
8 + 2 + 3
10
13

9 + 2 = 11
9 + 1 + 1
10
11

7 + 8 = 15
7 + 3 + 5
10
15

8 + 3 = 11
8 + 2 + 1
10
11

커다란 수박을 그려 볼까요?

《 68 》 《 69 》

12일
64~65쪽

13일
66~67쪽

13일
68~69쪽

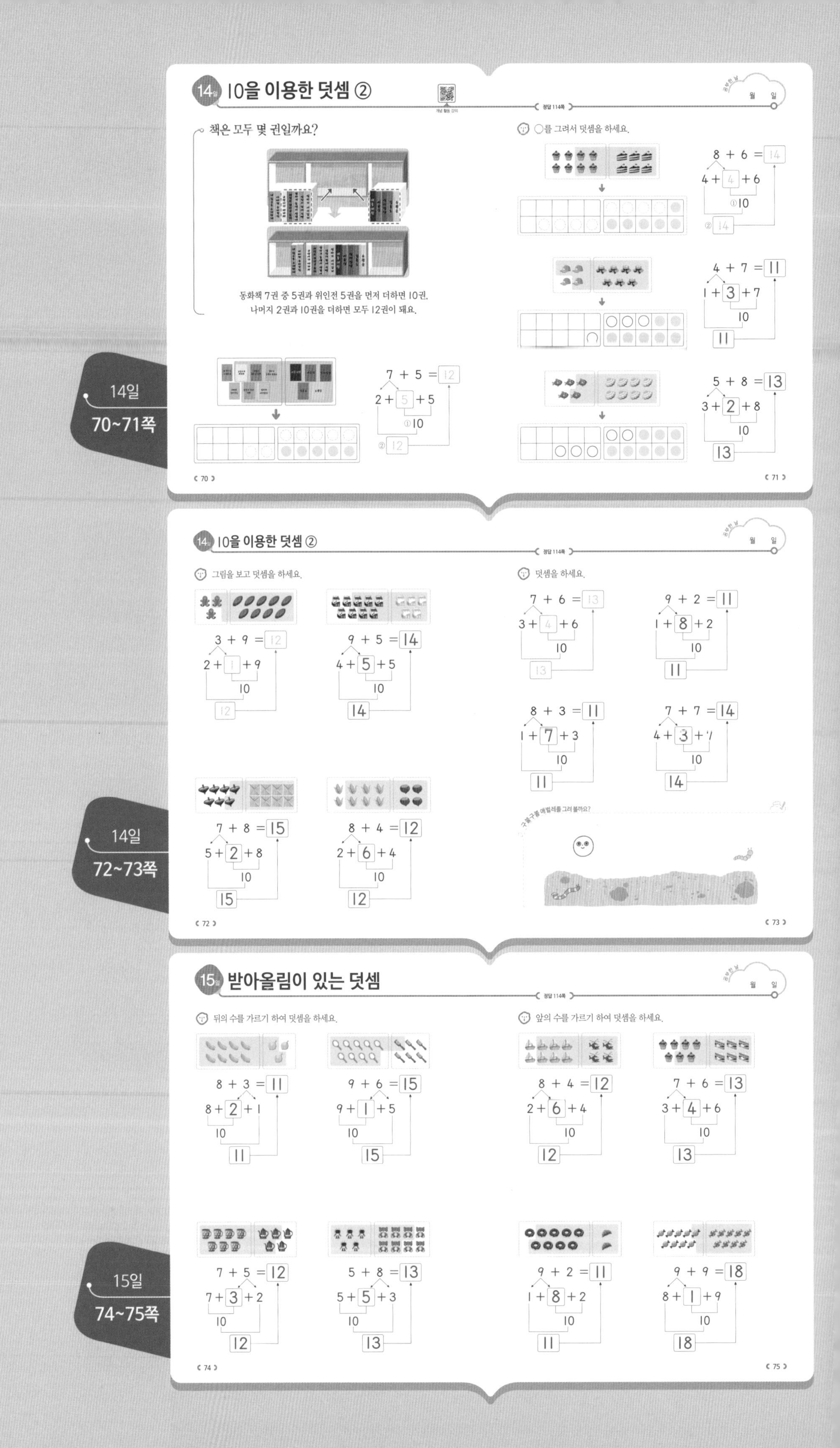
14일
70~71쪽

14일 10을 이용한 덧셈 ②

정답 114쪽

공부한 날 월 일

책은 모두 몇 권일까요?

동화책 7권 중 5권과 위인전 5권을 먼저 더하면 10권, 나머지 2권과 10권을 더하면 모두 12권이 돼요.

7 + 5 = 12
2 + 5 + 5
① 10
② 12

○를 그려서 덧셈을 하세요.

8 + 6 = 14
4 + 4 + 6
① 10
② 14

4 + 7 = 11
1 + 3 + 7
10
11

5 + 8 = 13
3 + 2 + 8
10
13

‹ 70 › ‹ 71 ›

14일
72~73쪽

14일 10을 이용한 덧셈 ②

정답 114쪽

공부한 날 월 일

그림을 보고 덧셈을 하세요.

3 + 9 = 12
2 + 1 + 9
10
12

9 + 5 = 14
4 + 5 + 5
10
14

7 + 8 = 15
5 + 2 + 8
10
15

8 + 4 = 12
2 + 6 + 4
10
12

덧셈을 하세요.

7 + 6 = 13
3 + 4 + 6
10
13

9 + 2 = 11
1 + 8 + 2
10
11

8 + 3 = 11
1 + 7 + 3
10
11

7 + 7 = 14
4 + 3 + 7
10
14

구불구불 애벌레를 그려 볼까요?

‹ 72 › ‹ 73 ›

15일
74~75쪽

15일 받아올림이 있는 덧셈

정답 114쪽

공부한 날 월 일

뒤의 수를 가르기 하여 덧셈을 하세요.

8 + 3 = 11
8 + 2 + 1
10
11

9 + 6 = 15
9 + 1 + 5
10
15

7 + 5 = 12
7 + 3 + 2
10
12

5 + 8 = 13
5 + 5 + 3
10
13

앞의 수를 가르기 하여 덧셈을 하세요.

8 + 4 = 12
2 + 6 + 4
10
12

7 + 6 = 13
3 + 4 + 6
10
13

9 + 2 = 11
1 + 8 + 2
10
11

9 + 9 = 18
8 + 1 + 9
10
18

‹ 74 › ‹ 75 ›

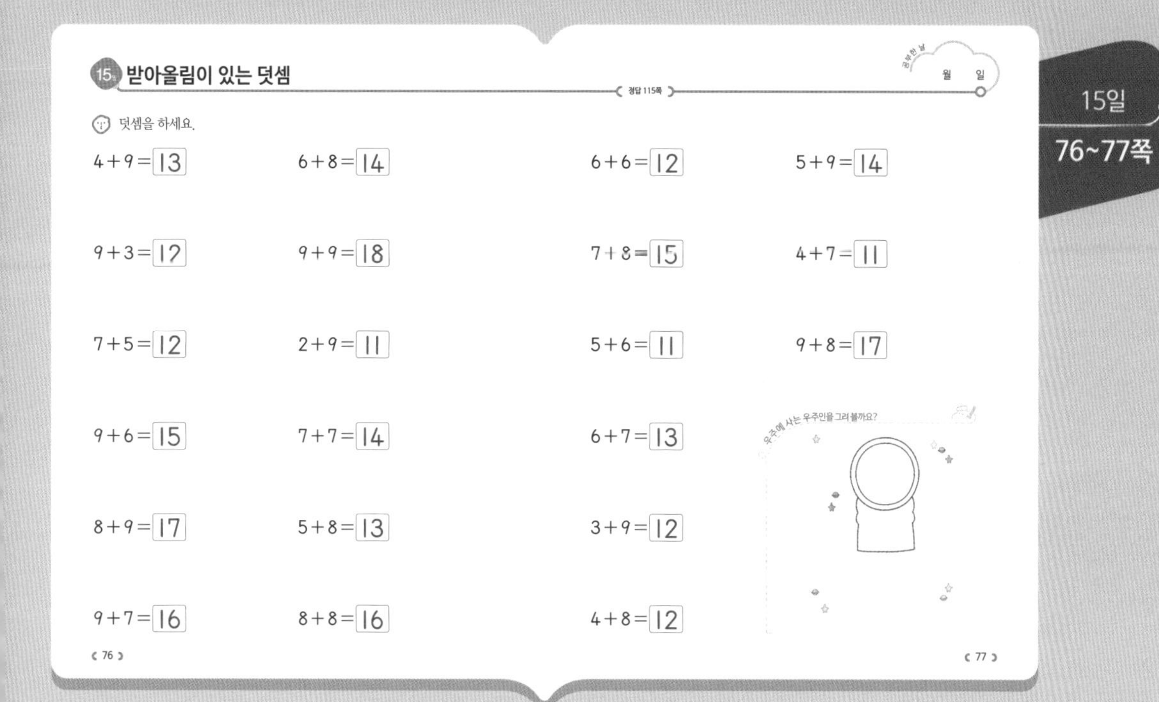
15일 받아올림이 있는 덧셈
정답 115쪽
월 일
덧셈을 하세요.
4+9=13
6+8=14
6+6=12
5+9=14
9+3=12
9+9=18
7+8=15
4+7=11
7+5=12
2+9=11
5+6=11
9+8=17
9+6=15
7+7=14
6+7=13
8+9=17
5+8=13
3+9=12
9+7=16
8+8=16
4+8=12
76
77

15일
76~77쪽

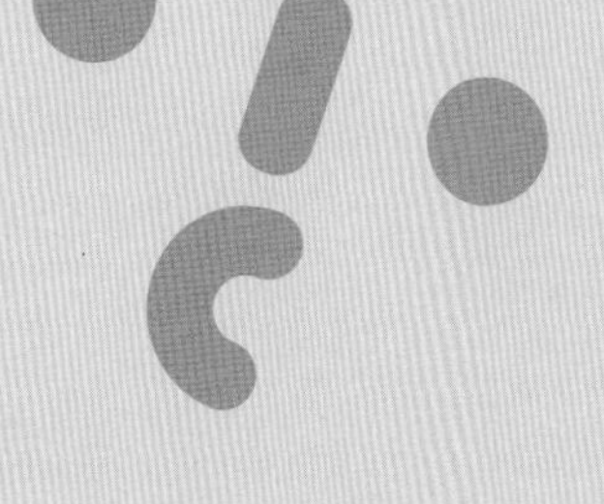

주제 8

받아내림이 있는 뺄셈

16일
82~83쪽

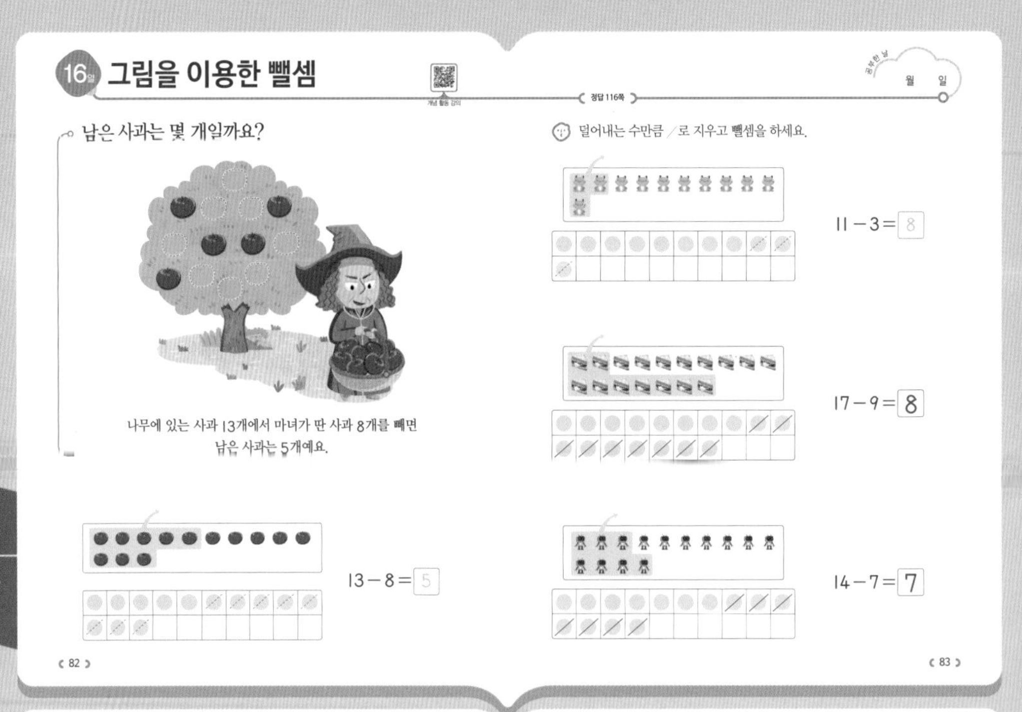

16일
84~85쪽

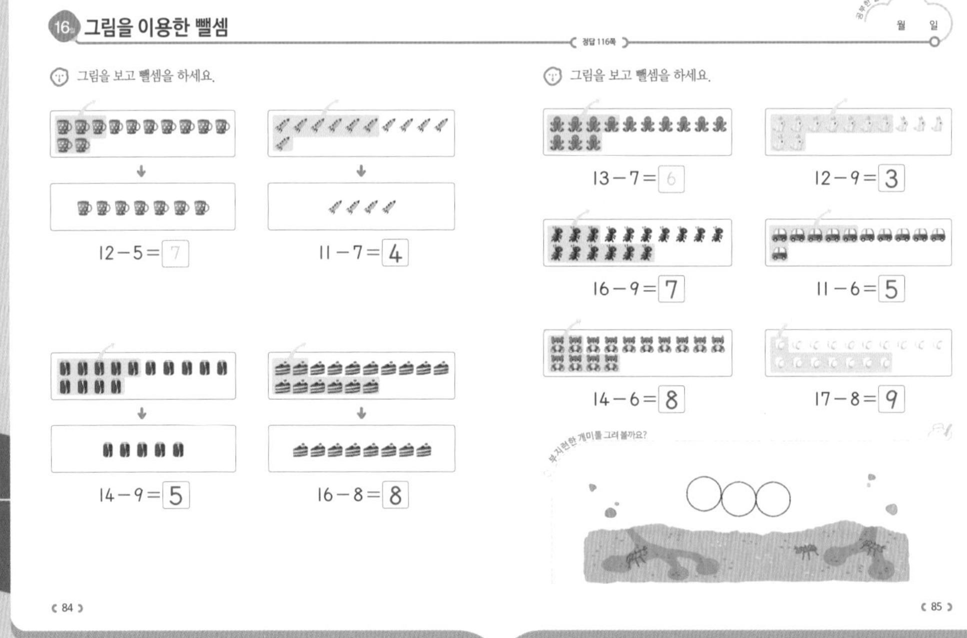

17일
86~87쪽

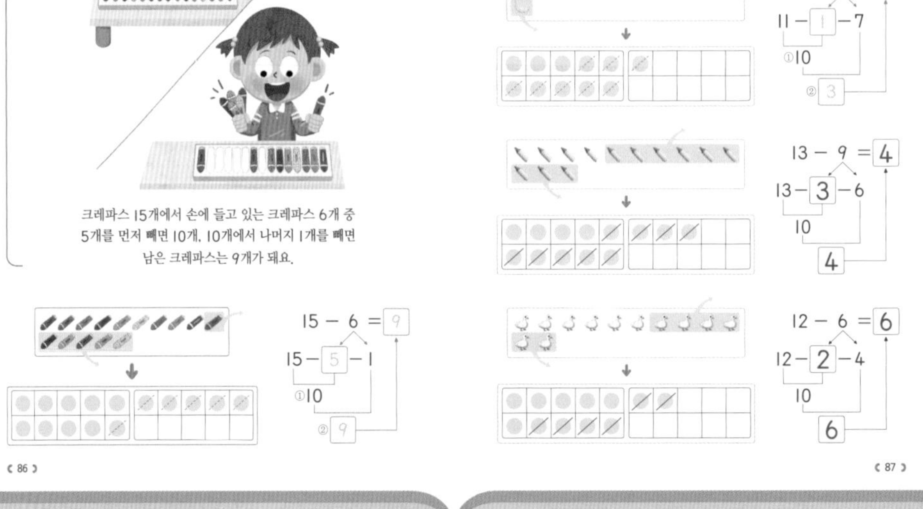

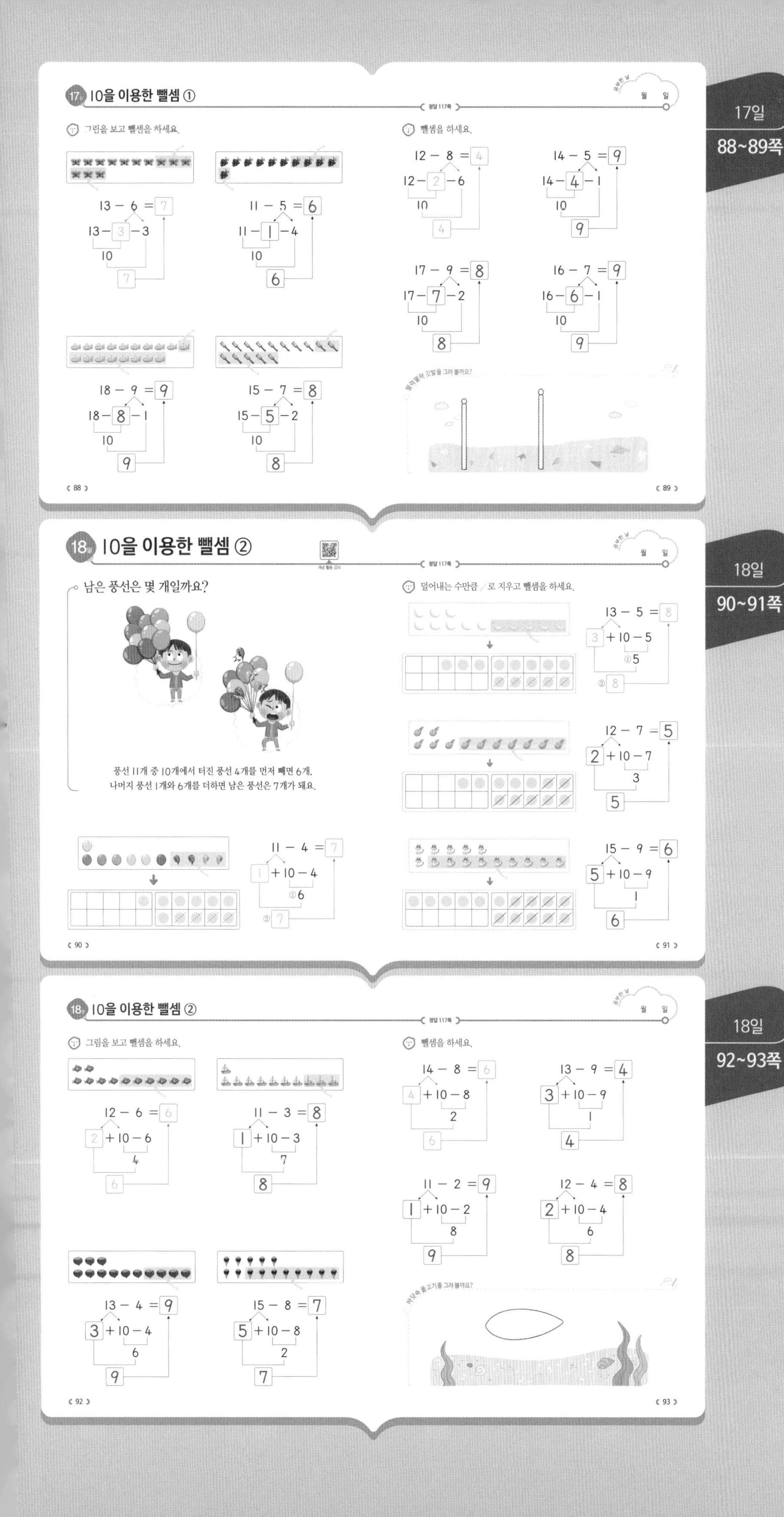

17일 10을 이용한 뺄셈 ①

그림을 보고 뺄셈을 하세요.

13 − 6 = 7 (13 − 3 − 3, 10 → 7)

11 − 5 = 6 (11 − 1 − 4, 10 → 6)

18 − 9 = 9 (18 − 8 − 1, 10 → 9)

15 − 7 = 8 (15 − 5 − 2, 10 → 8)

뺄셈을 하세요.

12 − 8 = 4 (12 − 2 − 6, 10 → 4)

14 − 5 = 9 (14 − 4 − 1, 10 → 9)

17 − 9 = 8 (17 − 7 − 2, 10 → 8)

16 − 7 = 9 (16 − 6 − 1, 10 → 9)

⟨ 88 ⟩ ⟨ 89 ⟩

18일 10을 이용한 뺄셈 ②

남은 풍선은 몇 개일까요?

풍선 11개 중 10개에서 터진 풍선 4개를 먼저 빼면 6개,
나머지 풍선 1개와 6개를 더하면 남은 풍선은 7개가 돼요.

11 − 4 = 7 (1 + 10 − 4, ① 6, ② 7)

덜어내는 수만큼 /로 지우고 뺄셈을 하세요.

13 − 5 = 8 (3 + 10 − 5, ① 5, ② 8)

12 − 7 = 5 (2 + 10 − 7, 3 → 5)

15 − 9 = 6 (5 + 10 − 9, 1 → 6)

⟨ 90 ⟩ ⟨ 91 ⟩

18일 10을 이용한 뺄셈 ②

그림을 보고 뺄셈을 하세요.

12 − 6 = 6 (2 + 10 − 6, 4 → 6)

11 − 3 = 8 (1 + 10 − 3, 7 → 8)

13 − 4 = 9 (3 + 10 − 4, 6 → 9)

15 − 8 = 7 (5 + 10 − 8, 2 → 7)

뺄셈을 하세요.

14 − 8 = 6 (4 + 10 − 8, 2 → 6)

13 − 9 = 4 (3 + 10 − 9, 1 → 4)

11 − 2 = 9 (1 + 10 − 2, 8 → 9)

12 − 4 = 8 (2 + 10 − 4, 6 → 8)

⟨ 92 ⟩ ⟨ 93 ⟩

17일 88~89쪽

18일 90~91쪽

18일 92~93쪽

19일
94~95쪽

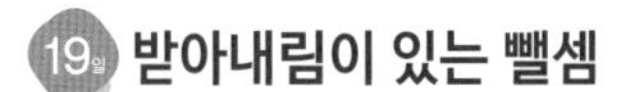

19일 받아내림이 있는 뺄셈

정답 118쪽

월 일

뒤의 수를 가르기 하여 뺄셈을 하세요.

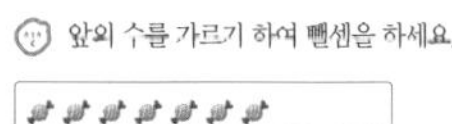

앞의 수를 가르기 하여 뺄셈을 하세요.

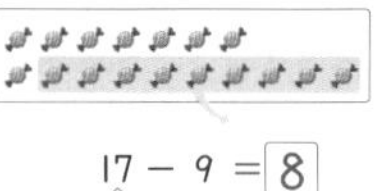

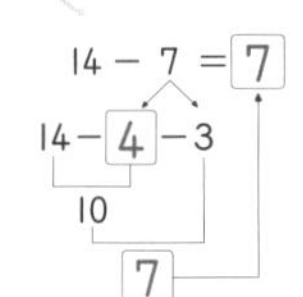

14 − 7 = 7
14 − 4 − 3
10
7

11 − 5 = 6
11 − 1 − 4
10
6

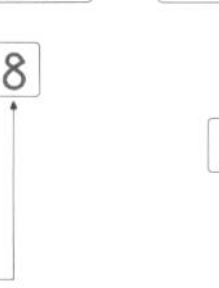

17 − 9 = 8
7 + 10 − 9
1
8

12 − 5 = 7
2 + 10 − 5
5
7

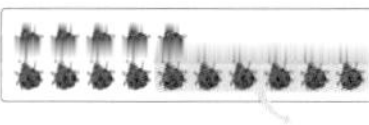

13 − 8 = 5
13 − 3 − 5
10
5

16 − 8 = 8
16 − 6 − 2
10
8

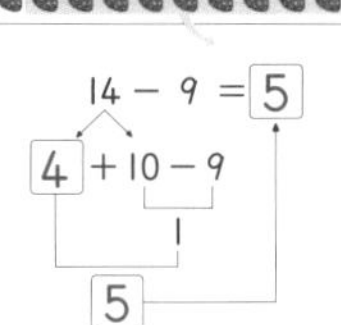

15 − 6 = 9
5 + 10 − 6
4
9

14 − 9 = 5
4 + 10 − 9
1
5

94 95

19일
96~97쪽

19일 받아내림이 있는 뺄셈

정답 118쪽

월 일

뺄셈을 하세요.

12 − 7 = 5
15 − 9 = 6
16 − 9 = 7
11 − 6 = 5
14 − 5 = 9
13 − 6 = 7
13 − 7 = 6
18 − 9 = 9
16 − 7 = 9
14 − 8 = 6
14 − 6 = 8
15 − 8 = 7
11 − 9 = 2
12 − 8 = 4
11 − 2 = 9
15 − 7 = 8
13 − 5 = 8
12 − 4 = 8
17 − 8 = 9
11 − 4 = 7
17 − 9 = 8

96 97

20일
98~99쪽

20일 받아올림과 받아내림이 있는 덧셈·뺄셈

정답 118쪽

월 일

덧셈을 하세요.

8 + 3 = 11
8 + 2 + 1
10
11

5 + 7 = 12
2 + 3 + 7
10
12

6 + 9 = 15
5 + 1 + 9
10
15

9 + 4 = 13
9 + 1 + 3
10
13

4 + 8 = 12
4 + 6 + 2
10
12

8 + 7 = 15
5 + 3 + 7
10
15

뺄셈을 하세요.

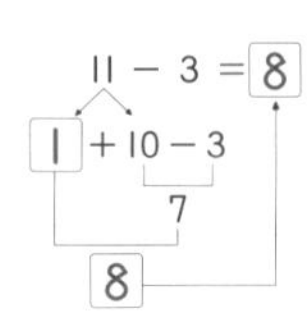

16 − 8 = 8
16 − 6 − 2
10
8

11 − 3 = 8
1 + 10 − 3
7
8

13 − 4 = 9
3 + 10 − 4
6
9

12 − 5 = 7
12 − 2 − 3
10
7

14 − 7 = 7
14 − 4 − 3
10
7

15 − 6 = 9
5 + 10 − 6
4
9

98 99

20 받아올림과 받아내림이 있는 덧셈·뺄셈

공부한 날 월 일

20일
100~101쪽

덧셈과 뺄셈을 하세요.

$8+5=13$ | $11-9=2$ | $13-8=5$ | $7+4=11$

$15-8=7$ | $6+6=12$ | $8+9=17$ | $11-7=4$

$3+9=12$ | $14-6=8$ | $7+8=15$ | $16-7=9$

$12-9=3$ | $7+6=13$ | $14-8=6$

$9+5=14$ | $18-9=9$ | $9+7=16$

$12-4=8$ | $5+6=11$ | $17-8=9$

푸르른 나무를 그려 볼까요?

100 | 101

메모